CW00736250

LA FIN DES PRIVILÈGES

DU MÊME AUTEUR

Charles Wyplosz

Macroéconomie, à l'échelle européenne, en collaboration avec Michael Burda, De Boeck, Bruxelles, 2006

L'Europe déclassée ?, en collaboration avec Olivier Blanchard et Jean Pisani-Ferry, Flammarion, Paris, 2005

La Banque centrale européenne, en collaboration avec Patrick Artus, « Les rapports du Conseil d'analyse économique » n°38, Documentation française, Paris, 2002

L'Union monétaire de l'Europe, en collaboration avec Pascal Riché, Le Seuil, Paris, 1993

Jacques Delpla
Charles Wyplosz

LA FIN DES PRIVILÈGES

Payer pour réformer

HACHETTE
Littératures

Collection Telos*
animée par Zaki Laïdi

* Telos, Agence intellectuelle (www.telos.eu.com)

ISBN : 978-2-01-237268-9

Préface

Ce livre a pour ambition d'exposer une méthode efficace, socialement juste et politiquement acceptable pour réformer la France. L'idée simple qu'il développe – pour réformer, il faut payer pour racheter les privilèges – a graduellement germé au cours d'innombrables discussions entre nous et avec nos collègues, nos amis, nos rencontres de tous les jours. Elle a aussi germé à la vue du triste spectacle des tentatives de réformes en France. Le débat récent sur le « déclinisme » montre bien que la France ne se porte pas bien, que les Français ont le sentiment que leur situation se dégrade et qu'on ne peut pas continuer ainsi. Les Français ne ressentent plus d'amélioration de leur bien-être collectif, car la France semble bloquée. Ceux qui traversent les frontières sont frappés du contraste entre notre immobilisme et la vigueur des réformes chez nombre de nos voisins, quelle que soit la couleur de leurs gouvernements. À chaque année qui passe, le besoin de réformes en profondeur s'accroît, mais, dans un contexte de faible croissance et de chômage, ainsi que d'hostilité à la remise en cause du *statu quo* par les groupes d'intérêt qui se sentent menacés. Entre pessimisme et hostilité à la réforme, le blocage est total.

Depuis des décennies, effrayés par les lobbies, nos gouvernants ont adopté la stratégie des petits pas. C'est lent et peu efficace, ne serait-ce que parce que les nouveaux problèmes s'accumulent plus vite que les solutions. La nécessité de réformes en profondeur n'est pas imposée par la mondialisation, mais par des considérations purement domestiques. Il faut faire baisser le chômage pour redonner de l'espoir et du travail. Il faut augmenter la croissance pour augmenter le pouvoir d'achat, payer nos retraites à venir et financer le progrès médical dont nous voulons tous bénéficier. L'angoisse soulevée par la mondialisation nous rappelle que le monde bouge plus vite que nos réformes.

Comment réformer la France ? Une voie est celle des réformes furtives, annoncées au creux du mois d'août ou cachées dans d'obscurs textes. Cela peut passer une fois ou deux, mais pas beaucoup plus. D'aucuns rêvent d'un grand marchandage global, un pacte social historique qui redistribuerait les cartes équitablement en s'assurant que chaque effort sera dûment partagé puis récompensé. Cela a marché chez certains de nos voisins, mais la tradition sociale et politique française rend un tel projet illusoire et impossible. D'autres attendent l'arrivée d'une Maggy Thatcher à la française qui imposerait des réformes radicales à la hussarde. Le risque ici est une déstabilisation dangereuse et une paralysie économique, avec de longues séquelles.

Face à ce tableau déprimant, nous avons imaginé une autre approche. Nous partons d'une constatation bien connue. Les bonnes réformes économiques font sauter des verrous pour accroître le bien-être collectif, mais ces verrous protègent quelques privilégiés qui bloquent. Notre idée est simple : pourquoi ne pas les dédommager ? Racheter les privilèges peut paraître choquant de prime abord, mais ce n'est pas totalement farfelu et, politiquement, c'est peut-être la seule option qui reste pour que la France, enfin, bouge. Racheter des privilèges et des droits acquis sera-t-il onéreux, surtout avec une dette publique déjà lourde ? Mais comme les réformes permises par le rachat des privilèges permettront d'augmenter encore plus la richesse, le jeu en vaut la chandelle.

Comme la France, les auteurs ont de lourdes dettes. Même s'ils n'approuvent pas toutes les conclusions que nous avons tirées de nos discussions avec eux, Pierre Cahuc, Pierre-Olivier Gourinchas, Francis Kramarz, Alain Quinet, Jean Tirole et Thierry Verdier retrouveront ici des thèmes familiers qu'ils nous ont aidé à clarifier. En rédigeant ce livre, nous avons recueilli de précieux conseils de la part d'Alberto Alesina, Bernard Belloc, Éric Brossard, Jacques Crémer, Véronique Fortin, Francis Kramarz, Michel Pébereau, Jérôme Philippe, Bernard Salanié, Jean Tirole, Alexandre Vincent et Claire-Lise Wyplosz. Finalement, nos proches et Jean-Sébastien Bach nous ont soutenus sans failles dans l'écriture. Sans impliquer personne dans nos propositions, nous les remercions tous.

Chapitre I

Pacifique révolution, méthode

Tragédie à la française

Acte I. Campagne électorale, télévision. Promesses. « Votez pour moi, je suis pour le changement. »

Acte II. Palais de l'Élysée. Annonces nouveau gouvernement. Réformes « nécessaires », « impérieuses », « positives pour tout le monde ».

Acte III. Mobilisation. Lobbies, syndicats.

Acte IV. La rue. Manifestations, grèves. Recul partiel puis total du gouvernement.

Acte V. Problèmes inchangés. Citoyens encore plus méfiants envers l'idée de réforme.

Plus tard, mêmes lieux, différents acteurs, même tragédie rejouée à l'identique ; éternel retour du même.

CPE, CIP, Sécurité Sociale, universités, régimes spéciaux des retraites, PAC... Combien de tentatives de réformes n'ont-elles pas été édulcorées puis retirées, sous la pression de la rue ? Les Français semblent souffrir d'une incapacité congénitale à se mettre d'accord sur les réformes. Il ne nous resterait plus qu'à nous résigner au déclin. Ou à espérer que le déclin provoquera le sursaut salutaire – un jour peut-être.

Eh bien, non, il n'y a aucune fatalité et la politique du pire, celle du déclin espéré, n'est pas la seule possible.

Nous adorons débattre sans fin de ce qu'il faudrait faire, mais nous ne faisons rien, ou si peu. La réponse à ce débat est connue, il suffit de regarder ce que nos voisins européens les plus performants ont fait, sans vendre leur âme ni sacrifier leur modèle social. À nous d'adapter les détails de la finition des réformes pour tenir compte de notre héritage historique, mais la trame est clairement établie. Au lieu de débattre du « Que faire ? », nous devrions réfléchir collectivement au « Comment le faire ? ». Pour réformer la France, il faut changer de méthode. Celle de la *Tragédie à la française* a très manifestement échoué. Certes, les réformes sont globalement positives, mais, au lieu de le clamer de manière incantatoire, l'honnêteté exige de reconnaître que les réformes, y compris les meilleures, même si elles augmentent le bien-être collectif et la richesse globale, ont l'inconvénient majeur de léser un certain nombre de gens, qui se sentent menacés et se mobilisent pour les faire échouer. Disons-le clairement : une bonne réforme est celle qui élimine une rente, souvent habillée en « avantage acquis ».

Soyons clair sur le mot « rente », que nous allons beaucoup utiliser et qui a divers sens. Ici, nous associons une rente à un privilège. Ce privilège peut être une position monopole, une réglementation qui réduit la concurrence, un avantage spécifique (appelé souvent « avantage acquis ») ou une subvention. Par exemple, une position de monopole permet à une entreprise – publique ou privée – de vendre à un prix excessif et ainsi de faire des super-profits. Si l'entreprise est privée, il est probable que ces super-profits seront distribués à ses actionnaires ; si c'est une entreprise publique, une partie des super-profits se transformera en super-salaires ou en avantages acquis. Ce ne sont pas seulement des entreprises qui bénéficient de rentes, des employés peuvent aussi avoir leurs rentes (par exemple, la retraite à cinquante ans) et leurs subventions. Ces privilèges, et les rentes qui vont avec, ont souvent de bonnes raisons d'avoir été consentis, mais ils peuvent aussi coûter très cher.

Ni Maggy, ni nuit du 4 août

Certains rêvent d'un passage en force à la Maggy Thatcher, avec des réformes qui exproprieraient les rentes et volatiliseraient les avantages acquis. La France n'y est pas prête, fort heureusement. Mais, à supposer même qu'elle le soit, il n'est pas évident que ce soit une bonne idée, tant cette méthode est destructrice économiquement et socialement (grèves, ruptures d'approvisionnement...).

D'autres espèrent en un grand soir, où toutes les rentes seraient abrogées d'un coup, propulsant la France sur un nouveau sentier de croissance rapide, où tous les rentiers seraient ravis de lâcher leurs privilèges en faveur du bonheur universel. La nuit du 4 août 1789 avait abrogé tous les privilèges de l'Ancien Régime d'un trait de plume. Combien de temps voulons-nous encore attendre un nouveau grand soir, éclairé bien sûr, qui abrogerait les privilèges modernes ? Or ce genre de nuit du 4 août n'advient pas dans un ciel bleu, mais dans des pays en crise aiguë. Des versions modernes ont été lancées au Canada ou en Scandinavie au début des années 1990, alors que ces pays se trouvaient en profonde récession avec des finances publiques au bord du gouffre. Tous les acteurs sociaux avaient alors conscience que le pays allait dans le mur et que des sacrifices devaient être exigés de tous. Nous n'en sommes heureusement pas là et un grand soir volontaire et coopératif est très peu probable. D'autant plus que l'accumulation de réformes avortées et de mauvaises réformes a rendu aujourd'hui les gens méfiants, voire sceptiques, quant à l'idée même de réforme économique. Ils ne signeront pas pour des lendemains qui chantent sans assurance. Au motif qu'« un tien vaut mieux que deux tu l'auras (peut-être) », les Français, même s'ils ne refusent pas l'idée de réforme, n'accordent plus le bénéfice du doute.

Les réformettes sont inefficaces, et ni l'option bulldozer (Thatcher) ni celle du grand soir consensuel ne sont sur la table. Il faut s'y prendre autrement. Nous proposons une autre méthode, celle de la révolution pacifique.

Payer pour réformer

L'idée centrale est simple. Les réformes économiques ont pour but d'augmenter la richesse du pays mais, en général, elles se font au détriment de certains. Il y a donc beaucoup de gagnants et quelques perdants, ce qui est ennuyeux. Les bienfaits des réformes arrivent lentement, très lentement, ce qui est tout aussi ennuyeux, alors que les coûts sont immédiats. Face aux réformes, les dés sont pipés. Notre solution est de prendre aujourd'hui une partie du surplus de richesse à venir pour compenser ceux qui vont souffrir aujourd'hui de la réforme. Pour joindre les deux bouts, l'État fait l'avance : il emprunte aujourd'hui et se repaye plus tard. De cette manière, il n'y a pas de perdants, mais que des gagnants.

L'idée n'est pas nouvelle. Elle a même déjà été appliquée, parfois bien, parfois moins bien. Par exemple, dans les années 1980, la fermeture de mines de charbon et de fer qui n'étaient plus rentables a été accompagnée de transferts substantiels aux mineurs qui ont perdu leur emploi. Cette réforme est aujourd'hui considérée comme un succès. De même, au milieu des années 1990, le gouvernement a compensé les titulaires des monopoles de ventes aux enchères (privilège remontant à François Ier) au moment de la libéralisation de ce petit secteur. En revanche, plus récemment, les honoraires des médecins ont été revalorisés contre une promesse de modération des dépenses de santé (nombre de consultations, longueur des prescriptions, signature de congés maladie, etc.) qui n'a pas eu lieu.

La méthode des réformes avec compensation peut permettre de sortir la France du décalage entre le besoin de réformes en profondeur et l'hostilité déterminée de tous ceux qui redoutent, à tort ou à raison, d'en faire les frais. Elle permet aussi de résoudre un deuxième décalage, dans le temps celui-là : comment indemniser aujourd'hui, de manière crédible, les perdants avec les gains de demain ? La compensation ne doit pas seulement être juste, elle doit aussi être versée au préalable. Sinon, les perdants potentiels continueront à s'opposer à la réforme, car ils se diront : « Une fois la réforme passée, l'État oubliera sa promesse d'indemnisation et je serai perdant au final. » Deux jeudis par mois, l'Agence France Trésor contracte des emprunts pour le compte de l'État. Tous les mois, elle rembourse. En empruntant un peu plus, l'État peut verser les compensations dès la mise en route des réformes, à charge pour lui de rembourser sa dette ensuite.

Est-il bien raisonnable d'alourdir ainsi la dette publique ? Chapitre après chapitre, nous détaillons le coût de chaque réforme que nous présentons et nous expliquons pourquoi, dans chaque cas, c'est une bonne affaire. Derrière des détails se cache un principe général. Si la France s'engage sur la voie des réformes en profondeur, son économie croîtra plus vite. Cumulé sur dix ou vingt ans, un petit coup d'accélérateur se traduit par un accroissement massif des revenus. Quand on est plus riche, rembourser une dette se fait sans problème. Une dette qui accélère la croissance est, en fait, un investissement, un pari sur le futur. Si la réforme est bonne, le pari est gagné d'avance. Ceux qui prêtent à l'État français un jeudi sur deux seront ravis de le financer.

La dernière caractéristique de notre méthode est, dans la mesure du possible, de ne forcer personne. Aux perdants potentiels, nous proposons d'offrir un contrat, qu'ils peuvent refuser. Nous leur disons : « Si vous acceptez d'abandonner votre privilège, l'État est prêt à vous verser immédiatement une juste compensation. Si vous ne voulez pas, pas de problème, gardez votre privilège ». Dans ces conditions, c'est au gouvernement qui veut réformer de trouver le bon niveau de compensation. S'il est trop pingre, pas de réformes. Pour gagner chaque réformes, le gouvernement devra convaincre une large majorité des privilégiés. S'il le fait, les lobbies seront désarmés. Il ne s'agit donc pas de négocier avec des lobbies, mais de convaincre leurs troupes.

Un peuple de rentiers

Mais de quelles rentes et de quels privilèges parlons-nous ? Réformer, c'est transformer des usages et des traditions qui bloquent la croissance des revenus, qui alourdissent les finances publiques et qui sclérosent le marché du travail, faisant ainsi le lit du chômage de masse. Or ces usages et ces traditions ne sont pas là par hasard. S'ils ne profitaient pas à quelques-uns, ils auraient déjà été éliminés, sans peine et sans regrets. C'est pour cela que, derrière chaque réforme, se cache un privilège à éliminer. Autant de privilèges que de besoins de réforme. Ces privilèges ont tous une raison historique, souvent une bonne raison, mais beaucoup d'eau a coulé sous les ponts depuis qu'ils ont été concédés. Ils perdurent bien longtemps après avoir été justifiés. Privilège est un vilain mot au pays des sans-culottes, alors on préfère parler d'avantages acquis, mais, au fond, c'est la même chose, une marque de l'histoire dont la justification a disparu.

Ces rentes pullulent en France. Elles prennent diverses formes. Parfois, ce sont des salaires avantageux. Parfois, ce sont des retraites complètes bien avant 60 ans, ou une garantie d'emploi à vie. Parfois, ce sont des durées de travail (par semaine, par an) réduites. Il y a aussi toutes sortes de subventions et un code des impôts peuplé de niches fiscales, comme on dit. Chaque Français, ou presque, a sa rente. Certains patrons ont leurs stock-options et autres parachutes en or qui s'ouvrent même lorsqu'ils ont été défaillants. Certains chômeurs ont des allocations qui durent même s'ils ne cherchent pas d'emploi et qui se transforment en divers programmes sociaux plus ou moins permanents. Chacun jalouse les rentes des autres mais défend bec et ongles la sienne. Et du coup chacun perçoit les menaces sur les autres comme une menace à venir pour soi-même.

Au bout du compte, les Français sont devenus un peuple de rentiers, petits et gros. C'est agréable bien sûr (sauf pour les exclus des rentes), mais cela coûte cher. Ce n'est pas seulement le coût en espèces sonnantes et trébuchantes qui pose problème. Beaucoup de ces rentes sont dérisoires mais toutes ont pour effet de bloquer l'adaptation de la France à la multitude de changements auxquels elle doit faire face.

C'est pour cela que la réforme n'est pas seulement nécessaire mais aussi et surtout bénéfique. Si, durant notre sommeil, une bonne fée pouvait éliminer d'un coup de baguette magique toutes les rentes et tous les privilèges qui s'insinuent dans tous les mécanismes qui font tourner la France, à notre réveil, nous serions tous, ou presque, mieux lotis. Nous aurions, chacun, perdu quelque chose, mais nous serions généreusement récompensés. Moins de chômage et plus de croissance, moins de blocages et plus d'opportunités. Moins de grèves, aussi. Malheureusement, il n'y a pas de bonne fée, quoi qu'en disent les candidats et candidates aux élections.

Si la méthode des réformes avec compensation est simple dans son principe, sa réalisation est beaucoup plus compliquée. Pour commencer, comment évaluer le bon prix pour le rachat des rentes ? Ensuite, comment s'assurer qu'une fois le paiement effectué, les rentes ne seront pas reconstituées d'une manière ou d'une autre ? Comment contourner les lobbies qui n'existent que pour défendre des privilèges et pour qui la réforme sonne le glas ? Et surtout, combien tout cela coûtera-t-il, et qui paiera ? Les pages qui suivent montrent qu'il est possible de répondre à toutes ces questions.

Notre méthode est illustrée au travers de sept exemples choisis pour leur importance symbolique et parce que chacun montre un aspect différent de la marche à suivre. Certains sont précis, comme la suppression de la politique agricole commune ou des licences des taxis. D'autres sont très larges, comme la refonte du code du travail, la fin des emplois à vie dans la fonction publique ou l'allongement de l'âge de la retraite. La liste n'est pas exhaustive, il s'en faut de beaucoup. Certains de ces projets ne sont peut-être ni les plus urgents ni les plus faisables politiquement, mais tous apparaissent régulièrement dans les innombrables rapports et livres blancs qui ont été commissionnés depuis des années avant d'être enterrés. Notre choix est avant tout guidé par le désir de montrer comment le principe général de réforme avec compensation peut s'appliquer à virtuellement toutes les réformes. D'un cas à l'autre, les modalités varient, et c'est précisément ce que nous voulons illustrer.

La plupart des réformes que nous présentons ne sont pas développées en détail. De même, le chiffrage est plus un coup de louche qu'une évaluation précise. Pour être plus précis, tant dans le choix du contenu des réformes que dans l'évaluation de leurs coûts et bénéfices, il faudrait faire appel à des armées de spécialistes. C'est pour cela que les réformes que nous présentons sont souvent schématiques. Ce parti-pris de simplicité traduit notre souci d'illustrer une méthode et non pas de proposer la réforme complète de la France clés en main. La réforme avec compensation nous paraît être la seule approche qui puisse permettre de briser le cercle vicieux dans lequel les réformateurs de tous bords se sont retrouvés enfermés, avant de baisser les bras.

Un rayon de soleil sur les rentes

Il reste qu'une bonne idée ne suffit pas à emporter l'adhésion. On ne réformera pas la France en profondeur sans avoir convaincu les Français. C'est là que se situent les obstacles les plus redoutables. Ce travail est celui des hommes – ou des femmes – politiques qui voudront porter le projet. Nous n'avons aucune compétence en la matière. C'est donc avec humilité que nous abordons la question.

Pour commencer, beaucoup de gens ne croient pas que les réformes envisagées produiront les effets promis, ni même des effets positifs. Il faudra leur expliquer pourquoi ce qui marche ailleurs en Europe produira les mêmes effets positifs chez nous. On voit déjà l'argument : nous serions des ultralibéraux désireux d'imposer le modèle anglo-saxon. Notre réponse est que nous regardons ce qui se passe ailleurs, sans préjugés. Cela ne signifie pas que nous voulons copier des formules toutes faites. C'est vrai que la croissance anglaise est impressionnante et son taux de chômage, jadis plus élevé qu'en France, est désormais deux fois plus faible. Mais il est aussi vrai que le système de santé des Anglais fonctionne mal, qu'ils ont beaucoup de pauvres. Tirer de leur expérience les éléments positifs et l'adapter en France, en évitant les inconvénients, ne signifie pas que désormais le porridge remplacera le café-tartine du petit déjeuner des Français. De plus, ce n'est pas qu'en Angleterre, au Canada ou aux États-Unis que l'économie est dynamique et le taux de chômage faible. Chacun à sa manière, la Suède, la Finlande, l'Irlande, le Danemark, l'Espagne et bien d'autres ont conduit des réformes en profondeur dont nous nous inspirons.

Lorsqu'ils se sentent menacés, ceux qui vivent, ou croient vivre, des rentes manient habilement l'arme des réflexes automatiques. Accuser une idée d'ultralibéralisme – ou de dirigisme, de paternalisme ou de toute autre expression repoussoir – suffit souvent à la torpiller. La France se distingue par la puissance évocatrice des idéologies, ces étranges méthodes de réflexion qui prétendent avoir réponse à toute question, souvent au mépris de la réalité. Présenter les rentes, habilement appelées droits acquis, comme un moyen de limiter les dégâts de la libre entreprise, est peut-être de bonne guerre, mais c'est aussi une formidable contre-vérité. Tous les pays, sans exception, qui ont supprimé des rentes et injecté une dose supplémentaire de libre entreprise ont connu un miracle économique. Voilà la réalité. Bien sûr, ces miracles ont eu leurs laissés-pour-compte ; c'est bien pour cela que nous proposons de les identifier à l'avance pour les indemniser.

Les groupes de pression, ceux qui ont tout à perdre au succès des réformes, utiliseront leurs considérables ressources – financières, mais aussi politiques – pour bloquer les réformes. Jusqu'à présent, ils ont admirablement réussi. Ils n'aimeront pas notre livre, car celui-ci donne une valeur aux rentes qu'ils défendent. Pire, il donne une valeur à la richesse (immense) détruite par ces mêmes rentes. Un proverbe du droit de la concurrence dit que « le meilleur désinfectant est le soleil » ; le gros défaut de notre ouvrage – pour ces lobbies – est qu'il est un rayon de soleil sur des rentes mal connues ou dont la nocivité est largement sous-estimée. Nous proposons donc de contourner ces divers lobbies. Au lieu d'essayer de les convaincre de se faire hara-kiri, notre méthode consiste à s'adresser directement aux personnes à qui l'on demande de faire des sacrifices et de leur proposer un dédommagement. S'ils acceptent, parce que le dédommagement est honnête, ce n'est pas seulement la croissance économique qui aura gagné, mais la démocratie.

Chapitre II

Taxis : licencier les licences sans chauffer les chauffeurs !

Pénurie de taxis : une licence organisée

Trouver un taxi dans une grande ville, une gare ou un aéroport, aux heures d'affluence ou par jour de pluie, relève souvent du parcours du combattant. Tous ces clients qui attendent et s'impatientent sont pourtant prêts à payer, certains même beaucoup plus que le tarif en vigueur. Manifestement, face à une solide demande qui ne se démentit pas, l'offre de taxis est insuffisante, en particulier aux heures de pointe. Surprenant pour un pays qui a plus de 2 millions de chômeurs dont beaucoup pourraient devenir chauffeurs de taxi. C'est dommage pour les emplois qui ne demandent qu'à exister, pour les consommateurs en général et plus encore pour les handicapés ou les personnes à mobilité réduite. Quel gâchis !

C'est aussi calamiteux pour le trafic automobile. Dans les grandes villes, environ 15 % du trafic est dû à des conducteurs qui cherchent à se garer. Avec beaucoup plus de taxis, les citadins changeraient leurs habitudes de transport et se tourneraient davantage vers une utilisation combinée des transports publics et des taxis. Ainsi, un accroissement substantiel du nombre de taxis dans les grandes villes – et notamment à Paris – permettrait de décongestionner les centres-villes et de réduire la pollution. Encore du gâchis !

D'où vient ce gâchis absurde ? L'explication est bien connue. Il y a d'abord un système de tarification absurde qui conduit les chauffeurs à préférer passer des heures dans une queue interminable à Roissy plutôt que de rentrer à vide à Paris où des clients se désespèrent devant les bornes vides. Il y a aussi et surtout le système des licences, un *numerus clausus* qui fixe le nombre de taxis de manière rigide. Tout le monde sait qu'il faut une réforme et pourtant aucune n'advient ! La pénurie de taxis à Paris et en France est, à bien des égards, l'emblème de ce qu'il faut réformer.

Bien sûr, la mauvaise organisation de ce service public n'est pas le plus gros problème de la France. Nous abordons la question parce que c'est l'exemple même du secteur où la réforme avec compensation est la seule susceptible de marcher. Les licences sont la source de pénurie, eh bien rachetons-les ! Plus précisément, puisqu'elles bloquent l'offre de taxis, il faut supprimer les licences et autoriser la libre entrée dans ce secteur. Mais les licences valent très cher et elles constituent le patrimoine des chauffeurs. Les supprimer purement et simplement reviendrait à ruiner les chauffeurs.

C'est bien pour cela qu'un passage en force, une réforme sans compensation, est voué à l'échec. Les chauffeurs n'auraient pas d'autre choix que de se mobiliser et de bloquer les villes. Ils savent bien le faire et ne tarderaient pas à faire reculer le gouvernement, avec un blocage des principales artères de Paris et des grandes villes. Une réforme partielle et qui ne dit pas son nom, la tentation éternelle des gouvernements timorés, serait aussi vouée à l'échec. Augmenter graduellement et au goutte-à-goutte le nombre des licences ne tromperait pas longtemps ; tôt ou tard, ils s'y opposeraient avec la même véhémence. En attendant, l'impact sur les consommateurs serait faible et ne changerait pas leurs comportements : pourquoi abandonner l'usage de ma voiture si je ne suis toujours pas certain de trouver un taxi quand j'en ai besoin ? Pour que la réforme des taxis change significativement les habitudes de transport des citadins et les incite à utiliser beaucoup moins leur voiture, elle doit être de grande ampleur.

Il y a aujourd'hui en France 47 000 taxis, dont 15 000 à Paris et en proche banlieue. Pour être chauffeur de taxi, il faut évidemment avoir le permis de conduire, puis être agréé par un examen général (connaissance des règles de la profession) et local (connaître les rues de sa localité) et, enfin, obtenir cette fameuse licence, qui seule donne le droit d'exercer cette profession. C'est ce droit qui crée la pénurie ; sans licence, impossible de faire le taxi, même avec tous les examens en poche. Officiellement, une licence s'appelle une « autorisation de stationnement » : les chauffeurs, eux, préfèrent parler de « plaque ». Chaque plaque est valable dans une commune donnée. En contrepartie de ce droit, les détenteurs de licence s'engagent à prendre tout passager à un tarif convenu à l'avance. Comme toujours, il y a toujours une bonne raison pour une mauvaise idée. Dans ce cas, il s'agit de garantir la sécurité des usagers. L'État veut s'assurer que le chauffeur de taxi ne va pas détrousser ses clients, qu'il va respecter le barème et diverses réglementations, très raisonnables au demeurant. Mais là où ce droit devrait être accordé grâce à un examen – s'assurer du niveau et de la moralité des chauffeurs –, il est devenu un concours très restrictif. En effet, le nombre de licences est fixé, et figé, par les autorités. *De facto* les licences jouent le rôle de quotas.

Depuis 1945, le PIB de la France a été multiplié, hors inflation, par plus de six. Historiquement, la croissance des transports est le double de celle des revenus. On s'attendrait donc à ce que le nombre de taxis ait été multiplié par bien plus que six. Bien au contraire ! Il y avait 25 000 taxis parisiens en 1925, 20 000 en 1931, 14 000 entre 1937 et 1992, et 15 000 depuis 2005. Pourquoi ? C'est un legs curieux de l'histoire. Durant la grande crise des années 1930, les gouvernements avaient mis en place des mesures restrictives. Dans un contexte de dépression, ils croyaient enrayer la déflation en restreignant l'offre. Il n'en fut évidemment rien. Soixante-dix ans plus tard, rien n'a changé, et ce n'est pas dû à un simple oubli. Si, dans l'environnement de pénurie d'après-guerre, la libéralisation du secteur des taxis n'était pas à l'ordre du jour, dès 1960, le *Rapport du Comité pour la suppression des obstacles à l'expansion économique*, dit rapport Armand-Rueff, commandité par de Gaulle, avait préconisé une grande réforme du secteur des taxis. Mais, déjà, l'opposition des taxis en avait bloqué la mise en œuvre. Et ça continue depuis. Une caricature de l'immobilisme qui ronge la France.

La province n'est pas mieux lotie. Si on dénombre à Paris un taxi pour 142 habitants, il n'y en a qu'un pour 450 habitants à Lyon, un pour 800 à Marseille, un pour 880 à Nice. Vous vous direz que c'est peu, mais il y a encore bien pire à Nantes, Rennes, Limoges, Clermont-Ferrand, Perpignan, Montélimar, Lens, Montauban, Albi ou Amiens avec 2 000 à 3 000 habitants par taxi ; sans parler de Lézignan-Corbières, La Roche-sur-Yon, Argenteuil ou Aulnay-sous-Bois avec un taxi pour 4 000 à 6 000 habitants ! Si, en région parisienne, il existe la RATP, en Vendée ou dans la capitale des Corbières, les habitants doivent utiliser leur voiture, ils n'ont aucun transport en commun.

Un des aspects navrants de cette histoire est que, en plus de la pénurie organisée et sanctifiée par les pouvoirs publics, un gisement d'emplois est ignoré. Les exemples étrangers sont édifiants. En Irlande, la libéralisation complète des taxis en 1999-2000 en a multiplié leur nombre par 2,5 en quelques années. Les mêmes causes ont produit les mêmes effets à Stockholm. Il est donc tout à fait probable qu'une libéralisation du marché des taxis pourrait, en peu d'années, en augmenter le nombre par 2 ou 2,5 dans Paris, beaucoup plus dans les villes de province où la densité de taxis est encore plus faible. Un doublement du nombre de taxis en France se solderait donc par la création rapide d'environ 50 000 emplois. À plus long terme, l'effet serait encore plus important si, comme il est probable, l'offre plus abondante amenait les gens à changer leurs comportements, abandonnant en partie la voiture individuelle au profit des taxis. Dans ces conditions, le nombre de taxis pourrait beaucoup plus que doubler. Une multiplication du nombre de taxis par quatre, ou même dix, est tout à fait envisageable dans certaines villes de province particulièrement sous-équipées aujourd'hui.

Une histoire de plaques et de bouchons

Que sommes-nous en train de raconter ? Que la France souffre d'une pénurie de taxis, que cette pénurie est particulièrement aiguë en Province, qu'elle encourage l'usage de la voiture individuelle avec toutes les conséquences qui en découlent en matière d'embouteillages et de pollution, et qu'un gisement d'emplois est ignoré. Dans ces conditions, si notre histoire tient la route, il paraît difficile de comprendre pourquoi les pouvoirs publics n'ont rien fait depuis soixante-dix ans ! Ignorer une réforme qui, apparemment, n'a que des avantages revient à se tirer une balle dans le pied. Il doit donc y avoir une bonne raison. La réponse est simple : les licences représentent pour les chauffeurs en exercice une véritable rente de situation. Cet avantage acquis leur permet d'avoir de meilleurs revenus que ce qu'ils auraient si le marché était entièrement libre. De fait, cette rente n'est pas du tout théorique, elle a une véritable valeur de marché puisqu'elle est cristallisée dans les licences que les chauffeurs se revendent. Plus les licences sont rares, plus elles sont chères. Si le marché des taxis est entravé par la licence, celui de la licence fonctionne à merveille. Comme les besoins en transports urbains sont croissants, il n'est pas étonnant que la valeur des licences grimpe : une licence à Paris se négociait autour de 100 000 € au début des années 2000, autour de 135 000 € en 2005 et entre 150 000 et 180 000 € aujourd'hui. La licence est bien plus chère encore sur la côte méditerranéenne (200 000 € à Perpignan, 230 000 € à Fréjus et 300 000 € à Nice). De même, pour les taxis rattachés à des aéroports, la licence se négocie entre 100 000 et 300 000 €.

Quand un chauffeur achète une licence, il achète le « privilège » de pouvoir exercer son travail. Privilège entre guillemets car le travail de chauffeur de taxi n'a rien d'une sinécure ou d'un privilège au sens aristocratique du terme. Mais le mécanisme est exactement celui de l'Ancien Régime quand les charges rentables (lever les impôts, par exemple) se vendaient. Pour les chauffeurs de taxi, comme pour les fermiers généraux de l'Ancien Régime, la licence représente un investissement, le droit d'avoir des revenus qui n'existent que parce que l'État l'accorde au compte-gouttes. La pénurie est sciemment organisée pour protéger la valeur de la rente. Pour son propriétaire, la licence est simplement un capital productif. Aujourd'hui, les grands bénéficiaires du système sont les chauffeurs de taxi qui ont reçu leur plaque gratuitement ou l'ont achetée à bas prix dans le passé. Les autres chauffeurs (la grande majorité) ne profitent guère du système. Comme ils se sont, en général, endettés pour acheter la licence à un prix élevé, ils doivent travailler dur pour verser leurs traites et vivre de leur métier. D'autres louent leur plaque ; ils doivent alors verser une somme importante (autour de 30 000 € par an à Paris) en contrepartie de l'utilisation de la rente cristallisée dans chaque plaque.

Une réforme du système des taxis qui se limiterait à autoriser la libre entrée dans la profession des chauffeurs de taxi réduirait tout simplement la valeur des licences à zéro, puisque les nouveaux entrants n'auraient plus à payer le « privilège » de travailler. S'il ne faut plus payer pour entrer, la licence ne vaut plus rien. Ce serait très bien pour les consommateurs et pour l'emploi des nouveaux entrants. Ce serait dévastateur pour les taxis actuels qui verraient la valeur de leur patrimoine (leur plaque) s'envoler en fumée. Ce serait une véritable spoliation pour ces travailleurs indépendants. On pourrait objecter qu'il n'y a pas spoliation au sens juridique du terme car les licences de taxis ne sont pas des titres de propriété au sens strict du terme, mais des droits d'usage. Il n'en demeure pas moins que depuis toujours les autorités (préfecture de police à Paris, municipalités ailleurs) ont autorisé ce *numerus clausus* ainsi que les transactions de licences. De ce fait, elles les ont très officiellement validées.

Au-delà des arguties juridiques, il y a un argument de réalisme politique en faveur du rachat des licences : sans compensation, il est rationnel pour les chauffeurs de taxi de se battre jusqu'au bout pour défendre leurs plaques. Ils ont tout à perdre d'une libéralisation à l'entrée des taxis : élimination d'une part importante de leur patrimoine et fin de leur rente. Les taxis savent bien comment se battre : s'ils ne sont pas assez nombreux pour satisfaire la clientèle, ils peuvent néanmoins bloquer complètement Paris, les grandes villes et tous les aéroports. La menace de telles représailles massives suffit à expliquer l'inaction des pouvoirs publics.

Faut-il alors renoncer à la réforme ? Pas du tout. Il suffit de compenser équitablement les chauffeurs. Ce qui rend le cas des taxis intéressant, c'est que l'évaluation de la compensation est particulièrement aisée. Il suffit de racheter les plaques à leur prix, qui est parfaitement connu. Ce prix, qui varie d'une ville à l'autre et qui évolue dans le temps, cristallise la valeur de la rente qu'il s'agit d'éliminer. Pas besoin de calculs, pas de discussions sans fin pour savoir si la compensation est adéquate ou non : le prix d'une plaque représente très précisément la valeur de la rente que procurent les restrictions à l'entrée dans la profession qu'il s'agit de lever. Pourquoi ? Parce que, si le prix des plaques était trop élevé, et ne représentait donc pas la rente associée, personne ne les achèterait et le prix baisserait. S'il était trop bas, ce serait la queue pour se procurer une licence et les prix monteraient bien vite. C'est la beauté du marché : il établit le juste prix.

Quelle réforme proposons-nous ? Nous proposons une libéralisation complète des taxis en France, avec compensation des détenteurs de licences de taxi. La réforme aurait les contours suivants :

– Autoriser la libre entrée dans le marché des taxis, à Paris et dans toute la France ; il n'y aurait plus aucune restriction quantitative, le nombre de plaques de taxi ne serait plus plafonné.

– Là où il existe des couloirs de bus et taxis, les chauffeurs devraient payer pour y avoir accès, sinon beaucoup de voitures se déclareront taxis pour prendre les couloirs de bus. Ici, pas de révolution, les taxis ont déjà un privilège d'accès aux couloirs de bus, qu'ils achètent implicitement avec la licence. Curieusement, aujourd'hui, ce droit d'accès revient au vendeur de la licence, et non à la collectivité qui construit et protège les couloirs. Demain, le paiement de ce droit d'accès aux couloirs de bus reviendrait à la collectivité.

– La libre entrée serait soumise à une vérification de la qualification et de la probité de chaque aspirant chauffeur (les actuels chauffeurs pourraient continuer d'exercer sans problème évidemment). Il s'agirait de passer un examen, et non plus un concours pour accéder au marché, et de respecter des normes techniques (sécurité, hygiène...) ainsi que de connaître les rues de la ville.

– Compenser les détenteurs de licences au jour de la réforme à hauteur du prix du marché constaté, par exemple, sur une période de six mois ou d'un an avant l'annonce de la réforme, car l'annonce perturbera le marché des plaques. De ce fait, la compensation sera juste et préalable.

– Maintenir les tarifs et l'obligation de compteur, comme c'est le cas ailleurs dans le monde, même dans les pays qui ont déjà entièrement libéralisé le marché des taxis. La liberté complète des prix n'est pas envisageable. En effet, il faut un prix maximum parce que les clients, en particulier les touristes étrangers, ne peuvent pas négocier aisément lorsqu'ils entrent dans un taxi. Il faut aussi un prix minimum, sinon (on l'a constaté dans certaines villes qui avaient opté pour la liberté tarifaire complète) il en résulte des batailles physiques entre chauffeurs ou, pire encore, des mafias apparaissent et se chargent d'imposer un tarif. Cela n'exclut pas une flexibilité des tarifs en fonction de grilles horaires, comme c'est déjà le cas.

– Pour éviter que beaucoup trop de taxis n'attendent aux aéroports dans l'espoir d'une course très bien rémunérée (comme à Roissy aujourd'hui), on pourrait mettre en place un prix fixe pour les trajets aéroport-centre-ville, comme c'est déjà le cas dans beaucoup de grandes villes (New York...).

Nationalisons les plaques

Quel serait le prix d'une telle réforme ? Ici, les calculs sont simples, les tarifs des cessions de licences de taxis étant connus. Pour Paris et la proche banlieue, le prix de la compensation est de 2 250 millions d'euros (soit 150 000 € pour 15 000 licences), ce qui représente 0,12 % du PIB de la France en 2007. Pour les autres villes de province que nous avons mentionnées, qui représentent 4,3 millions d'habitants, le prix de rachat des 3 835 licences représenterait 383 millions d'euros. Pour la France métropolitaine, hors Paris, le prix est de l'ordre de 3,1 milliards d'euros (cela est probablement une estimation haute car nous nous basons sur les villes où les prix sont les plus élevés). Au total, pour l'ensemble de la France (y compris les DOM), nous estimons que la valeur de rachat de toutes les licences est de 4,5 milliards d'euros, soit 0,2 % du PIB.

Est-ce beaucoup ? En un sens, oui, 4,5 milliards pour 45 000 licences, soit 100 000 € par licence, c'est beaucoup. Mais c'est entièrement justifié. Tout d'abord, ce n'est pas beaucoup pour créer 50 000 emplois à court terme, probablement beaucoup plus à moyen terme, pour réduire les embouteillages et la pollution, sans compter le gain de temps pour les usagers ou les touristes. C'est aussi justifié pour une raison légale. Le rachat des rentes est une expropriation simple d'un capital productif que les taxis ont déjà payé. Les licences ne sont pas un droit acquis issu de circonstances historiques dépassées, elles sont le résultat d'une transaction légale. Cette approche est dans le droit fil de la jurisprudence établie par le Conseil constitutionnel en 1982 lors des nationalisations du gouvernement de Pierre Mauroy. Le Conseil a considéré, à juste titre, que les nationalisations devaient s'accompagner d'une « indemnisation juste et préalable ». Paradoxalement, la libéralisation du secteur des taxis revient à nationaliser les licences.

Qui doit payer ces compensations ? Bien évidemment pas les chauffeurs de taxi, auquel cas on reviendrait à une réforme sans compensation. De même, les contribuables ruraux ou de petites villes pourraient à bon droit dire que ce n'est pas à leurs impôts de payer puisqu'ils ne prennent jamais ou rarement le taxi. *Idem* pour ceux qui ne prennent que les transports en commun, le taxi étant trop cher pour eux. Pourquoi paieraient-ils pour les consommateurs plus aisés qui prennent souvent le taxi ? C'est aux consommateurs actuels et futurs de taxis qu'il revient de payer. Puisque ce sont eux qui bénéficieront jour après jour d'une meilleure offre de taxis, ce sont eux qui devraient couvrir les frais de la réforme, jour après jour.

Le moyen simple de procéder est le suivant. L'État emprunterait 5,5 milliards sur une période de, disons, quinze ans. Il rembourserait ensuite sa dette en se faisant payer par les clients des taxis. En pratique, donc, l'État ferait l'avance, puis prélèverait une légère redevance sur chaque course de taxi. Sous des hypothèses prudentes, une redevance de 0,50 à 1 euro par course pendant quinze ans devrait permettre de rembourser la dette. Cette approche a le mérite de faire payer les consommateurs en proportion de leur utilisation des taxis. La redevance pourrait être réduite si la réforme changeait les comportements des citadins et, avec une augmentation forte du nombre de taxis, gonflait les recettes. Elle cesserait d'exister au bout de quinze ans lorsque la dette aura été remboursée (ce genre de promesse est rarement suivi d'effet, nous le savons bien).

Certains sceptiques objecteront : pourquoi les taxis accepteraient-ils une telle réforme ? Ne vont-ils pas rechigner à être exposés à la concurrence ? Même si leurs plaques sont rachetées, l'abondance promise de taxis va éroder leurs revenus, donc ils sont quand même perdants. Pas vraiment, pour une raison un peu subtile (qu'il faudra expliquer clairement !) présentée dans l'encadré ci-dessous. En fait, beaucoup de chauffeurs seront probablement heureux de transformer leur licence en espèces sonnantes et trébuchantes. Ils sont aujourd'hui à la tête d'une petite fortune, mais ils ne peuvent pas s'en servir en cas de besoin. Une fois compensés, ils pourront garder leur argent en banque pour le faire fructifier tout comme ils pourront le dépenser ou le céder à leurs enfants. La compensation les dédommage parfaitement, y compris de la baisse future de revenus lorsque, concurrence oblige, ce sont eux qui attendront le client, et non pas l'inverse.

Pourquoi une plaque représente-t-elle une rente ?

Que représente la valeur de la licence de taxi ? La réponse est : exactement la rente créée par le système des quotas. Nous avons déjà indiqué que l'ouverture du marché des taxis aura pour résultat de ramener à zéro le prix des plaques. À ce moment-là, les chauffeurs gagneront moins que maintenant, en raison de la concurrence pour trouver un client et donc faire une course. Seront chauffeurs de taxi ceux qui seront prêts à travailler pour ce revenu, comme dans tous les métiers soumis à la concurrence. Aujourd'hui, c'est la même chose. Les chauffeurs gagnent plus, mais ils doivent consacrer une part de leurs revenus à payer leur plaque, en général à rembourser le prêt qu'ils ont contracté pour l'acheter au moment où ils sont entrés dans la profession. Si beaucoup de personnes trouvent ce revenu net attractif, ils ne peuvent pas, bien sûr, devenir chauffeurs de taxi comme ça. Ils doivent acheter une plaque. Ce faisant, ils font monter le prix des plaques jusqu'à ce qu'il soit si élevé qu'un certain nombre abandonne l'idée. C'est ce qui détermine le prix des licences. Sans le système des licences, ils feront la même chose, mais en entrant directement sur le marché jusqu'à ce que les revenus aient baissé au point où plus personne ne voudra y entrer, et où même certains abandonneront.

Dans les deux cas, le revenu net est exactement le même. Aujourd'hui, c'est le prix des licences qui limite l'entrée. Après la réforme, ce sera le nombre de courses. Aujourd'hui, le nombre de courses est élevé, grâce au système de quotas. Cela procure une rente – que payent les clients en attendant désespérément un taxi – qui se retrouve entièrement dans le prix des licences.

Les chauffeurs de taxi ont une bonne raison d'accepter la réforme avec compensation : ils risquent d'avoir la réforme sans compensation. Le *statu quo* est intenable. Déjà, les taxis subissent la concurrence des voitures de petite remise – autorisées seulement chez eux à prendre des clients sur rendez-vous. Celles-ci, qui doivent être autorisées par la préfecture, ne sont que 2 000 pour l'ensemble de la France, mais le gouvernement pourrait en augmenter le nombre pour faire pression sur les taxis. Dans ce cas, le prix des licences de taxi baisserait fortement et les chauffeurs regretteraient amèrement d'avoir rejeté une compensation plus élevée.

De manière plus fondamentale, la sécurité juridique du système actuel des licences n'est pas garantie. En effet, il n'est pas exclu que la Commission européenne, et plus encore la Cour de justice des Communautés européennes de Luxembourg ne le fassent exploser au motif qu'un chauffeur de taxi exerçant en Belgique ou en Italie se voit aujourd'hui dénier le droit d'exercer en France. L'entrave au libre mouvement des travailleurs et des capitaux à l'intérieur de l'Union européenne est en effet une des cibles préférées de la Cour de justice des Communautés européennes. Ses arrêts contre les entraves ont été de puissants leviers à la libéralisation de nombreux marchés (électricité, chemins de fer, et bien d'autres) en Europe. Et comme les licences de taxi ne sont pas des droits de propriété *stricto sensu*, en cas d'invalidation du système des licences, il serait difficile pour les taxis de se faire rembourser. C'est exactement ce qui s'est produit en Irlande. En 1999, le gouvernement irlandais avait voulu augmenter substantiellement le nombre de licences de taxi à Dublin. Les chauffeurs ont alors menacé de faire grève mais, en 2000, un tribunal a jugé que le principe même du *numerus clausus* était illégal. Depuis, l'accès à la profession est libre et, en trois ans, le nombre de taxis a augmenté de 150 %. Dublin est alors passé d'un taxi pour 186 habitants à un taxi pour 72 habitants. Magnanime, le gouvernement irlandais a tout de même dédommagé, mais partiellement seulement, les chauffeurs de taxi en leur accordant des allègements fiscaux sur cinq ans.

D'autres sceptiques avanceront que l'on peut faire une réforme sans payer autant, par exemple en se contentant d'une réforme partielle. Est-ce possible ? Probablement pas. D'abord, parce que le coût politique risque d'être bien trop élevé, comme nous l'avons déjà signalé précédemment. Ensuite, parce qu'une réforme partielle pourrait n'avoir que trop peu d'effets pour en valoir la peine. C'est exactement ce que vient de montrer l'Italie. À l'été 2006, Romano Prodi, le Premier ministre fraîchement élu, a bien vu que la libéralisation des marchés des biens et services est une source importante de croissance pour l'Italie. Il a choisi, entre autres, de libéraliser les taxis (il est encore bien plus difficile de trouver un taxi à Rome qu'à Paris !). Il l'a fait sans compensation : l'Italie ayant une forte dette (105 % de son PIB), le nouveau gouvernement Prodi voulait restaurer l'orthodoxie budgétaire pour remettre l'Italie sur le sentier du désendettement. Bien évidemment, les chauffeurs de taxi ont rué dans les brancards. Ils ont fait grève et menacé de bloquer avec leurs voitures les principales villes italiennes. Devant cette opposition résolue, le gouvernement a partiellement battu en retraite et annoncé qu'il ne ferait qu'augmenter le nombre de licences en échange d'une petite compensation et que cela serait à la discrétion des municipalités. Il est encore trop tôt pour faire un bilan de cette réforme, mais il est probable que le nombre de nouveaux taxis demeurera faible, les associations locales de taxis étant plus à même, au niveau communal, de faire des pressions contre la réforme. Quelle est la morale de cette histoire ? Parce qu'il n'a pas voulu payer de compensation pour sa réforme, le gouvernement Prodi retirera probablement peu de gains économiques de sa demi-réforme, mais son capital politique réformiste a été sérieusement écorné.

Au total, la stratégie de libéralisation complète du secteur des taxis, avec rachat des licences à leur valeur de marché et taxation des clients futurs, est la meilleure solution à la pénurie actuelle. C'est une solution économiquement efficace, socialement juste et politiquement acceptable. Son coût pour la collectivité est nul puisque la dette sera entièrement financée par les utilisateurs ; le gouvernement ne fera que l'avance du paiement de la compensation. Quant aux chauffeurs de taxi actuellement en exercice, ils perdront leur rente, mais cette rente est illusoire puisqu'ils doivent l'acheter sous forme de licence. Pour eux comme pour l'État, l'opération est financièrement blanche. Outre la pénurie, l'avantage, ce sont les dizaines de milliers d'emplois qui vont spontanément apparaître lorsque le marché sera ouvert. Ces nouveaux chauffeurs n'auront pas à trouver les dizaines de milliers d'euros nécessaires à l'achat d'une plaque.

Ce que nous proposons pour les taxis peut se généraliser aisément aux autres professions réglementées par des quotas, par des *numerus clausus* : notaires et certaines professions juridiques, pharmaciens, experts-comptables... Pour certaines de ces professions, le coût de leurs rentes peut être mesuré comme pour les taxis puisque les licences se vendent exactement de la même manière. Pour d'autres, il faudra les estimer. Mais il est peu probable que le coût soit supérieur à celui des taxis car ces professions sont peu nombreuses. Au plus, l'indemnisation de toutes les autres professions avec *numerus clausus* ne devrait pas excéder les 0,2 % du PIB. Et, comme pour les taxis, l'État peut se rembourser sur les usagers, qui seront les bénéficiaires d'une offre plus abondante et très probablement de meilleure qualité, concurrence oblige.

Chapitre III

Commerce : deux lois contre un million d'emplois

Services : à la recherche du sésame

La distribution et le commerce de détail représentent à peu près 10 % de l'activité économique de la France, le point où aboutit toute la production. Malheureusement, ce secteur est l'un des plus lourdement réglementés. La France est, de loin, le pays de la zone OCDE avec les plus fortes barrières à la concurrence dans le secteur du commerce de détail. La bonne nouvelle est que ce carcan représente un gisement de gains de productivité presque unique en France, pour peu que l'on se donne la peine d'y regarder de près. Au nom de la protection du petit commerce assiégé par les grandes surfaces, on a érigé pierre par pierre une usine à gaz tellement compliquée que l'on ne sait plus à quoi elle sert. En fait, comme souvent quand on bricole de-ci, de-là, les effets sont à l'opposé des intentions et les rentes fleurissent. Les victimes de ces réglementations sont les consommateurs et l'emploi ; ce sont 1 million d'emplois nouveaux qui pourraient être créés si la politique malthusienne qui prévaut actuellement était abandonnée. Les bénéficiaires du système actuel sont les grandes surfaces et les petits commerçants qui ont su habilement partager la rente créée par les règles d'anticoncurrence.

Bien que toujours critiquée et souvent amendée, toute cette construction est fondamentalement stable. De puissants intérêts particuliers y veillent, bien sûr. Aucune concurrence internationale ne vient troubler leur petit jeu. Quelques grands groupes règnent. Et il serait vain d'attendre que la Commission de Bruxelles ou la Cour de justice des Communautés européennes s'en mêlent. Les services domestiques, comme le commerce, sont du seul ressort des politiques nationales et les rares incursions de la Commission européenne dans ces domaines ont été des échecs. Le dernier exemple en date est la fameuse directive Bolkestein sur la libéralisation des services. Pour sulfureuse qu'elle fût, elle ne méritait pas tant d'énergie (pour ou contre), car elle ne couvrait qu'une fraction epsilonesque des services et du commerce. La raison de cette quasi-absence d'impact des traités européens sur les services et le commerce est que ces traités ne s'appliquent qu'aux activités s'exerçant sur plusieurs États. Or le commerce de détail, comme la plupart des autres services de proximité, est par définition une activité locale, même si Internet commence à changer la donne.

Toute réforme de ce secteur doit donc être franco-française, c'est bien pour cela que nous l'attendons, depuis très longtemps – depuis le fameux rapport Armand-Rueff, commandé par de Gaulle en 1960, et resté lettre morte car très efficacement bloqué par les lobbies du petit commerce. Pour ne pas attendre encore soixante ans, il faut s'y prendre autrement. Selon nous, cela signifie qu'il faut reconnaître qu'une libéralisation du commerce et de la distribution imposera des pertes à certains acteurs de ce secteur et les indemniser correctement pour désamorcer l'opposition qui a si bien fonctionné. Cependant, nous dérogeons à notre règle de compensation de tous les perdants : pour des raisons de justice sociale, d'efficacité politique et de coût, nous proposons de ne pas dédommager les grandes surfaces.

Réformer le commerce et la distribution n'est pas seulement susceptible d'engendrer des gains importants pour chaque Français consommateur, avec des emplois supplémentaires à la clé, c'est aussi l'une des mesures essentielles si l'on veut que les autres réformes produisent leurs effets bénéfiques. Les réformes ont pour objet d'accroître la productivité de la France, c'est-à-dire de produire plus pour moins cher, pour le bénéfice de tous : plus de consommation supportée par plus de revenus. Pour que ça marche, il ne faut pas que le commerce absorbe tous ces gains en faisant grimper les prix au détail, une vieille habitude rendue possible par un manque de concurrence. Dans la situation actuelle où six grands groupes contrôlent plus de 80 % du commerce alimentaire, il est peu probable que le commerce répercute les efforts consentis par les producteurs. Il serait tout de même étonnant de réformer la France pour accroître les marges, déjà très confortables, des grandes surfaces !

Si la nécessité d'une réforme globale du marché du travail selon les meilleures pratiques des pays européens (Scandinavie, Irlande, Angleterre) commence à faire son chemin en France, en revanche, le consensus en faveur de plus de concurrence et de moins de réglementations dans les services et le commerce est beaucoup plus faible. Politiquement, la gauche est en général peu favorable à une telle réforme par défiance envers l'idée même de concurrence et à cause de la pression des syndicats des travailleurs de ces secteurs. La droite y est tout aussi réticente car elle protège ses clientèles électorales traditionnelles (commerçants, artisans, professions libérales...). Dans ce chapitre, nous examinons le commerce de détail, mais la question concerne l'ensemble des professions de services réglementées (voir notre chapitre sur les taxis).

Le jeu en vaut-il la chandelle ? Le lecteur sceptique est, en effet, en droit de se demander s'il est bien utile de prendre le risque de mettre dans la rue tous les artisans et commerçants de France si l'impact devait être faible. Or la réponse est très clairement positive. Par exemple, l'OCDE a mesuré que la France est, de loin, le pays avec les plus fortes barrières à l'entrée et à la concurrence dans le secteur du commerce de détail. Et pourtant, l'effet de réformes du secteur des services et du commerce peut être considérable. Ce secteur est sous-dimensionné en France. S'il avait la même taille relative qu'en Allemagne, au Danemark, aux Pays-Bas ou au Royaume-Uni, il y aurait 1,2 million d'emplois en plus. Si l'on compare avec les États-Unis, c'est un gain de 1,5 million d'emplois qui est possible[1]. C'est beaucoup, d'autant plus qu'une part importante de ces emplois sont peu qualifiés, justement là où le chômage est le plus lourd.

Une autre manière de mesurer l'enjeu est de regarder l'impact d'une réforme des services et du commerce sur le revenu. En 2005, le FMI a calculé que si la France permettait autant de concurrence dans l'ensemble de ses services et de son commerce qu'en Scandinavie, en Grande-Bretagne ou en Irlande, son PIB serait, dans quinze ans, supérieur de 5,8 % (en euros d'aujourd'hui, c'est équivalent à plus de 100 milliards !). En supposant que cet effet bénéfique monterait en puissance graduellement, l'effet cumulé sur la richesse de la France sur quinze ans d'une réforme des services et du commerce dépasse 770 milliards d'euros, soit 40 % du PIB d'aujourd'hui. C'est absolument considérable ! Aucune autre réforme sectorielle en France ne créerait un tel surplus de richesse. Comme le commerce et la distribution constituent une partie significative du secteur des services, on voit que l'enjeu d'une réforme de ce secteur est massif. La possibilité de réaliser de tels

1. La comparaison avec le reste de l'Europe montre bien que le déficit français d'emplois dans le commerce est d'abord dû aux contraintes spécifiques du commerce français (où la France se singularise) plutôt qu'à l'existence ou au niveau du salaire minimum (critère qui oppose l'ensemble de l'Europe aux États-Unis).

gains grâce à la réforme permet de compenser les victimes de ces réformes. La collectivité aura alors procédé à un excellent investissement.

Le secret bien caché d'une richesse oubliée

Quel est le secret si bien caché de cette richesse oubliée ? Comment a-t-on pu négliger si longtemps la possibilité de créer tant d'emplois et de richesse ? La réponse tient en deux types de lois : les lois sur l'urbanisme commercial et celles sur le droit de la concurrence (on devrait dire anticoncurrence dans ce cas !). Comme souvent en matière économique, l'enfer est pavé de bonnes intentions. Depuis les lois Royer (1973) et Raffarin (1996) sur l'urbanisme commercial et depuis la loi Galland (1996) sur la concurrence (et leurs amendements successifs), le secteur du commerce en France est doté d'un appareil législatif coercitif et hostile à la concurrence qui est inégalé au sein de l'OCDE. Les deux premières lois ont sévèrement restreint la liberté d'implantation des grands commerces ainsi que des super et hypermarchés. La dernière loi a essayé de restreindre les règles de la concurrence afin de préserver le petit commerce, présumé moins capable d'être compétitif. Protéger le petit commerce du coin de la rue et brider les méchantes grandes surfaces, accusées de tous les maux, semblait une si belle idée ! C'est l'inverse qui s'est produit. Les résultats ont été l'inverse. Comme on le verra plus loin, en restreignant la concurrence tout court, et donc la concurrence entre grandes surfaces, ces lois ont créé un cartel légal au sein de la grande distribution.

Ce cartel lèse ses clients tout comme ses fournisseurs, industriels et agriculteurs, sans pour autant empêcher le petit commerce de fondre comme neige au soleil. Comment en est-on arrivé là ?

Commençons par l'urbanisme commercial, qui organise les implantations des activités de vente au détail. Le principe retenu est parfaitement restrictif. Pour protéger les petits commerces, les lois sont conçues pour rendre très difficile l'ouverture de surfaces supérieures à 300 m^2. En pratique, chaque ouverture doit être autorisée par la Commission départementale d'équipement commercial (CDEC) compétente. Chaque département est équipé d'un CDEC, constitué de six membres : trois élus locaux, le président de la chambre de commerce et d'industrie et son collègue de la chambre des métiers, et un représentant des associations de consommateurs du département. Hormis ce dernier, et encore, on voit bien que chaque CDEC rassemble des personnes qui ont à cœur l'intérêt des acteurs locaux du commerce et qui ont peu d'intérêt à la venue de concurrents extérieurs. Dans ces conditions, il ne faut pas être surpris de découvrir que les CDEC ont *de facto* empêché ou entravé l'arrivée de nouveaux concurrents. Les seuls à venir perturber ce scénario bien ficelé ont été les *hard discounters*, souvent étrangers, parce qu'ils ont eu l'idée de s'implanter sur des surfaces inférieures à 300 m^2, qui ne sont pas soumises à autorisation.

Les grands groupes français de distribution, les seuls capables de faire un lobbying efficace auprès des CDEC, ont magnifiquement réussi. Malgré la volonté affichée, ces lois n'ont pas empêché l'augmentation des surfaces commerciales en France, y compris dans la grande distribution. Elles ont, en revanche, réussi à bloquer l'arrivée de nouvelles marques concurrentes, que ce soit des groupes étrangers ou des concurrents français potentiels. Il suffit de regarder autour de nous, ce sont toujours les mêmes enseignes que l'on retrouve partout. Or l'exemple des autres pays montre que l'innovation commerciale est le fait de nouvelles entreprises, de nouvelles chaînes de commerce qui ciblent certaines gammes de clientèle ou certaines catégories de produits. Les règles françaises d'urbanisme commercial épargnent donc aux entreprises existantes d'avoir à faire face à de nouveaux concurrents innovateurs. C'est parfait pour les commerces en place, qui peuvent fixer des prix élevés et ne sont pas incités à innover, mais le consommateur n'y trouve pas son compte.

Le résultat est que le commerce et la distribution sont dominés par des cartels, en toute légalité car les règles d'urbanisme commercial ont été votées par le Parlement et sont mises en œuvre par le ministère de l'Économie et des Finances. Le rêve pour des capitalistes rentiers ! Ainsi, une mesure destinée originellement à protéger les petits commerces en limitant l'ouverture des grandes surfaces s'est transformée en son contraire : une cartellisation bénie par l'État qui permet aux grands groupes de distribution d'amputer le pouvoir d'achat des ménages. Bravo !

Mais ce n'est pas tout. Non content de bloquer l'entrée de nouveaux concurrents, le législateur a instauré un « droit de la concurrence » qui crée des ententes anticoncurrentielles sur les prix. Cette législation mérite le détour. Notre droit de la concurrence interdit la revente à perte, phénomène à peu près unique en Europe et même au sein de l'OCDE. Or la revente occasionnelle à perte n'est pas nuisible en soi. Il vaut mieux vendre à perte que ne pas vendre du tout. Cela arrive tous les jours sur les marchés financiers, sur certains billets d'avion, sur les marchés de fruits et légumes avant la fermeture, ou sur Google qui vend ses services à prix nuls au consommateur et se rémunère uniquement par la publicité, tout ça pour le plus grand bonheur du consommateur, le grand oublié de la législation actuelle.

La revente à perte n'est préjudiciable que si le vendeur est en position dominante sur son marché (on parle alors de prix de prédation) : il pourrait éliminer ses concurrents par des tarifs très bas temporaires puis les remonter ensuite fortement lorsqu'il est en position de monopole (mais rien de tout cela n'existe en France où aucune grande surface n'est en position dominante). Ce cas est extrêmement rare et l'arsenal juridique du droit commun de la concurrence (prohibition de l'abus de position dominante) suffit à le réprimer.

Interdire de revendre à perte revient à fixer un prix plancher en dessous duquel les commerçants ne peuvent pas vendre. Ce mécanisme de prix minimum (appelé seuil de revente à perte) appauvrit le consommateur et constitue une véritable bénédiction pour les petits et gros commerçants. En effet, le problème des cartels est qu'un jour ou l'autre, un de ses membres est tenté de baisser ses prix pour gagner des parts de marché. Du coup, une guerre des prix éclate et le cartel s'effondre. Pour éviter cette tentation, les membres d'un cartel doivent établir des règles de bonne conduite, essentiellement des prix minimum. C'est pour cela que les lois sur la concurrence interdisent les accords interentreprises sur les prix. Le sujet est tellement sensible qu'elles vont jusqu'à interdire aussi aux membres potentiels d'un cartel de se réunir ou de se communiquer entre eux leurs prix. Or, en France, c'est l'État qui organise ces prix minimum et protège l'existence même des cartels dans le commerce, un comble !

Et ça marche à merveille. Par exemple, à l'approche de Noël, la revue *UFC-Que choisir* (décembre 2006) a voulu comparer les prix de quelques jouets identiques dans différents points de vente (hyper et supermarchés généralistes, grands et petits commerces spécialisés dans les jouets). La conclusion est édifiante : « À quelques exceptions près, les soixante jouets et jeux, communs à la plupart des catalogues, que nous avons passés en revue coûtent partout le même prix. Pour plus d'un tiers, c'est le même prix au centime d'euro près. [...] L'écart de prix significatif est devenu d'une rareté exceptionnelle. [...] Les hypers vendent aussi cher que les magasins de centre-ville. »

L'interdiction de revente à perte concerne les relations entre commerçants. Mais notre droit de la concurrence encadre aussi au-delà du raisonnable les négociations commerciales entre fournisseurs et commerçants. Il est interdit ainsi à un fournisseur du commerce de faire de la discrimination tarifaire générale dans la négociation : il doit vendre à tous les commerçants (du petit épicier à l'hyper) aux mêmes conditions tarifaires. L'idée de départ était de permettre aux petits commerces de bénéficier de la part de leurs fournisseurs des mêmes prix et conditions commerciales que les grandes surfaces. Or c'est oublier que les discussions sur les prix sont l'essence même de la négociation commerciale.

Le résultat est loin des intentions. Comme les fournisseurs doivent proposer le même prix à tous les commerçants, ils affichent le prix proposé au commerçant le plus cher (c'est le prix sur la facture). C'est le prix demandé aux petits commerces, pas ce que payent les grandes surfaces. Achetant de très gros volumes, les grandes surfaces négocient bien sûr des ristournes, qui peuvent légalement ne pas se retrouver sur la facture. Comment la législation peut-elle bien être contournée ? C'est ici qu'intervient le mécanisme des « marges arrière ». Cette pratique regroupe tout ce qui permet à une grande surface de payer moins cher que le prix indiqué sur la facture (on dit que c'est « en arrière » de la facture). Par exemple, les grandes surfaces font payer cher aux fournisseurs le fait d'être présentés en tête de gondoles dans les magasins, ou bien elles signent avec eux des contrats dits de coopération commerciale par lesquels les fournisseurs leur rétrocèdent les baisses de prix consenties dans la négociation commerciale. Or, comme les grandes surfaces n'ont pas le droit de vendre en dessous du prix inscrit sur la facture (à cause de l'interdiction de revente à perte), le prix facture affiché est élevé pour les consommateurs, qui ne profitent ainsi guère des ristournes obtenues par les grandes surfaces. Les marges arrière, elles, vont en grande partie dans les poches des grandes surfaces. Dans le cas de la grande distribution, les marges arrière sont estimées à 30 % du prix net facturé par les fournisseurs[2]. C'est autant de moins dans la poche des consommateurs.

Deux mesures anticoncurrentielles, interdiction de revente à perte et interdiction de discrimination tarifaire, s'articulent et se liguent pour amputer le pouvoir d'achat des consommateurs. Chassez le naturel – la négociation commerciale – et il revient au galop. En tentant d'empêcher les grandes surfaces de pratiquer des prix plus bas que les petits commerces et en essayant de faire bénéficier aux petits commerçants des mêmes coûts d'approvisionnement que les grandes surfaces, on a réussi à empêcher les consommateurs de profiter pleinement de prix plus bas, des gains de pouvoir d'achat créés par le progrès technique et le commerce international. Tous ces avantages dont devraient bénéficier les consommateurs sont bloqués par la législation.

Tout cela est parfaitement connu. Le très officiel rapport Canivet[3], commandé en 2004 par le ministre des Finances, décrit par le menu détail ces mécanismes. Il explique que c'est à cause de ces règles que les prix de produits de grande consommation peuvent être en France nettement supérieurs à ce qui se pratique dans des pays voisins pour des produits identiques. Cette

2. Chiffres cités par le rapport Canivet, 2004, p. 36, pour toutes catégories et tous fournisseurs confondus.

3. *Restaurer la concurrence par les prix.* « Les produits de grande consommation et les relations entre industrie et commerce », 2004, rapport au ministre d'État de l'Économie, des Finances et de l'Industrie, sous la direction de Guy Canivet, La Documentation française, 2004.

atteinte au pouvoir d'achat du consommateur n'est pas perdue pour tout le monde. Elle se retrouve dans les profits des commerçants, grands et petits. C'est une véritable rente. Comme expliqué plus bas, cette rente est cristallisée dans la valorisation (actions des grands groupes, valeur des fonds de commerce) des actifs des commerces.

Face au constat que ces lois, destinées à protéger les petits commerces et les PME contre la puissance de la grande distribution, ont eu l'effet opposé, au détriment des consommateurs, on pourrait penser qu'elles seraient abrogées. Eh bien, non. Bien au contraire, différents gouvernements en ont renforcé le caractère contraignant. Puisque le système ne contraignait pas suffisamment la grande distribution, pensait-on, il fallait renforcer la répression et la contrainte. Ainsi la loi Raffarin de 1996 a rendu encore plus difficile que la loi Royer de 1973 l'établissement de nouvelles surfaces commerciales. La loi Galland a rendu l'interdiction de revente à perte encore plus contraignante que sa définition initiale de 1963 (déjà renforcée entre-temps). Bien évidemment, il en est à chaque fois résulté plus de contraintes, moins de concurrence et donc plus de rentes. La loi Jacob de 2005 n'échappe pas à la règle : elle ne fait que déplacer les distorsions dans le système sans y remédier.

Détricoter n'est pas bricoler

Quelle solution ? Le secteur du commerce en France est aujourd'hui tellement distordu par les réglementations que des réformes partielles ne feront que des déçus et des mécontents, sans changer le cœur du problème. Réformer à la marge n'offre que des gros coûts politiques et peu de gains économiques. Supprimer une distorsion en maintenant les autres ne fait que déplacer le problème. Seule une réforme globale est susceptible de restaurer l'efficacité du marché dans ce secteur.

Une réforme efficace devra d'abord s'intéresser au droit de l'urbanisme commercial. Il est légitime que les entreprises en général soient soumises à des contraintes architecturales et environnementales. Par contre, il n'est pas normal que les autorisations d'ouverture de commerce (tout comme les hôtels ou les cinémas) soient délivrées par des Commissions départementales d'équipement commercial où sont représentés les concurrents (par le biais des chambres de commerce et des chambres des métiers) et les personnels politiques locaux. Une réforme cohérente et efficace ferait entrer les ouvertures et agrandissements de commerces (tout comme l'hôtellerie et les cinémas) dans le droit commun de l'urbanisme et de l'architecture. La liberté d'implantation des surfaces commerciales serait libre, soumise aux mêmes contraintes d'urbanisme et d'architecture que tous les autres établissements. Ce serait un moyen simple et efficace de faire baisser les barrières à l'entrée.

Le deuxième pan de la réforme devra abolir tout ce qui empêche ou entrave la libre concurrence. L'interdiction de revente à perte, l'interdiction de discrimination dans les négociations commerciales seraient supprimées. La partie du droit actuel de la concurrence (tout le titre IV du livre IV du code de commerce et quelques autres articles) qui réprime certaines pratiques commerciales *per se*, indépendamment de leur impact sur le marché, devrait être abrogée dans son entièreté. Cette partie du droit n'a aucune justification économique ; rien de comparable n'existe ailleurs. Demeureraient évidemment la répression classique des pratiques anticoncurrentielles qui portent atteinte au marché (prohibition des ententes et des abus de position dominante), ainsi que le contrôle des concentrations, comme c'est le cas dans tous les autres pays développés. De même, les soldes ne seraient plus encadrés dans le temps ; ils pourraient avoir lieu plusieurs fois par an et un peu n'importe quand (selon l'offre et la demande), le tout au plus grand bénéfice des consommateurs.

Au regard du débat franco-français, ces deux ensembles de mesures seraient une véritable révolution. Sommes-nous insensés ? Sur le fond, sûrement pas. Ce que nous suggérons est le lot commun de la plupart des autres pays de l'OCDE. Mais, tout de même, une révolution, est-ce bien raisonnable ? La réponse est simple : plus d'un million d'emplois sont en jeu, sans compter les gains de pouvoir d'achat. Mais une telle réforme est impossible au vu de la force des lobbies en cause. Voulons-nous dresser contre le gouvernement tous les différents acteurs (petits commerces, fournisseurs industriels et agriculteurs) qui défendent un système dont ils croient profiter et qui ont déjà fait plier nombre de gouvernements ?

Notre réponse, bien sûr, est de rassurer en offrant des compensations adéquates. Les commerçants, qui bénéficient du système, sont ceux qui feront les frais de la réforme. Ce serait la fin des rentes de situation rendues possibles par la législation anticoncurrence. Or ces rentes sont cristallisées sous la forme de fonds de commerce – et d'actions pour les grands groupes – d'une valeur élevée. En effet, la valeur de revente d'un fonds de commerce dépend directement de la profitabilité du magasin, tout comme le cours des actions des grands groupes. Détruire la rente, c'est faire chuter la valeur des fonds de commerce, qui est le patrimoine des commerçants, et celle des actions des grands groupes, qui est le patrimoine de leurs actionnaires.

Leur résistance est d'autant plus compréhensible qu'ils peuvent légitimement dire qu'ils ont suivi et obéi aux lois votées par le Parlement. Effectivement, un changement de ces mêmes lois ne doit pas les spolier. Les autres groupes socioprofessionnels qui sont des ardents défenseurs du *statu quo* sont les fournisseurs des grandes surfaces, industriels et agriculteurs. Ils redoutent de faire les frais d'un système dont ils se plaignent par ailleurs. En réalité, face à de puissantes centrales d'achat qui négocient des prix serrés, ils sont obligés de concéder des marges arrière, ils sont tenus à des règles draconiennes en termes de qualité, d'emballages, de délais de livraison, etc. Mais ils sont naturellement inquiets de l'incertitude qu'implique toute réforme. Un tien vaut mieux que deux tu l'auras. Et pourtant, une réforme qui instaurera plus de compétition vis-à-vis des consommateurs ne manquera pas de réduire aussi le pouvoir des grandes surfaces vis-à-vis de leurs fournisseurs. Les fournisseurs font partie des bénéficiaires potentiels d'une réforme, même s'ils n'y croient pas. Il n'y a donc rien à compenser de ce côté-là, sauf peut-être qu'une assurance contre les incertitudes pourrait être étudiée, ne serait-ce que pour éviter d'ouvrir un autre front d'opposition à la réforme.

Le prix des cristaux de rentes

Le cas des grandes surfaces doit être séparé de celui du petit commerce. Suivant notre principe de compensation, les grandes surfaces devraient être dédommagées. Deux raisons militent en sens inverse. Tout d'abord, le coût de leur dédommagement serait très élevé. Ensuite, politiquement, leur opposition n'est probablement pas dangereuse. Ces groupes ont, bien sûr, les moyens d'exercer des pressions. D'un autre côté, ils ont connu depuis des décennies une très forte rentabilité, ce qui les rend peu sympathiques aux yeux de l'opinion publique, qui les connaît bien. Pour une fois, donc, nous nous écarterons du principe de compensation et réserverons le dédommagement aux petits commerces. Même si ses troupes sont moins nombreuses qu'à l'époque de Gérard Nicoud, il serait politiquement dangereux de confronter tête première le petit commerce qui, par ailleurs, compte dans ses rangs de nombreux établissements qui vivotent, puis disparaissent.

Pour les petits commerces, la compensation est, en théorie, l'écart entre la valeur de leurs fonds avant et après la réforme. Mais, bien sûr, on ne peut pas mesurer cette différence avant la réforme ; ce n'est qu'après sa mise en place que la valeur des fonds de commerce va baisser. Comme l'essence de notre démarche est de proposer une compensation avant de lancer la réforme, la méthode est impraticable. Les associations de commerçants n'attendront pas de voir la valeur de leur patrimoine baisser pour demander compensation. Il faut donc s'y prendre autrement.

L'autre méthode consiste à essayer d'évaluer l'impact de la réforme sur les marges futures des petits commerçants. Un bon point de départ est les nombreuses études (de l'OCDE, du FMI et de l'Insee) qui suggèrent que si, en France, le commerce était soumis à la même concurrence qu'en Europe du Nord, le taux de marge des commerçants baisserait dans une proportion de 10 à 13 %. Bien sûr, avec une baisse des prix du même ordre, les commerçants pourraient vendre plus et donc récupérer un peu de leurs pertes. Certains petits commerces voués à la fermeture pourraient même revivre. Mais mettons les choses au pire pour les commerçants : admettons que, suite à la réforme, leurs marges commerciales tombent de 13 % et que les volumes de vente demeurent inchangés. Selon l'Insee, les marges du commerce de détail étaient de 15 milliards d'euros en 2004, soit probablement 17 milliards en 2007. Selon ces hypothèses pessimistes, la perte pour l'ensemble du commerce serait de 2,2 milliards d'euros la première année. Ces chiffres incluent à la fois les grandes surfaces et le petit commerce. Or les premières représentent à peu près la moitié de la valeur ajoutée du commerce. Compenser les seuls petits commerçants (ils sont à peu près 300 000) coûterait donc la moitié, soit 1,1 milliard d'euros en première année.

Combien d'années à venir doivent être compensées ? En principe, autant d'années que le petit commerce aurait duré en l'absence de réforme. Il est bien sûr impossible de prévoir à l'avance la durée de vie des commerces existants, il faut donc procéder à une estimation raisonnable. La durée de vie des petits commerces est extrêmement variable. Certains ne durent qu'un été, d'autres en sont à la énième génération. En l'absence d'information fiable, nous admettons que les commerçants sont indemnisés pour quinze années. En supposant que les marges augmentent au même rythme que le PIB – soit 4 % par an, dont la moitié correspond à l'inflation –, la valeur de leurs pertes sur quinze ans est de 16,5 milliards d'euros, soit 0,9 % du PIB de 2007. En moyenne, donc, la compensation serait de 55 000 €. Bien sûr, elle serait plus élevée pour ceux dont les fonds ont une valeur au-dessus de la moyenne, et plus faible dans le cas inverse. Elle serait offerte en échange de l'acceptation par les petits commerçants de la suppression des lois Royer, Raffarin, Galland et Jacob.

Quelle forme devrait prendre cette compensation ? Comme dans les chapitres précédents, chaque commerçant se verrait proposer cette somme au moment où la réforme est annoncée. Le versement sera effectif une fois que la loi aura été votée et mise en application.

Ces compensations sont-elles justes ? Oui, d'un point de vue du respect des droits de propriété : des entrepreneurs ont fait confiance aux règles de l'État et ils ont investi en conséquence. Oui, d'un point de vue politique : sans ces compensations, il est politiquement illusoire de tenter la réforme. Près d'un demi-siècle après la mise au placard du rapport Armand-Rueff, il vaut mieux payer des compensations forfaitaires, en une seule fois, que de continuer ainsi encore un demi-siècle avec des réglementations qui détruisent beaucoup d'emplois et coûtent si cher aux consommateurs ! Rappelons, enfin, qu'une réforme majeure du secteur du commerce aura des effets économiques favorables de première grandeur.

Chapitre IV

Assurance plein-emploi

Le boomerang de la protection de l'emploi

Le chômage est la première préoccupation des Français. Le cap des deux millions de chômeurs a été passé il y a un quart de siècle, sans ticket de retour. Deux générations ont grandi sans connaître le plein-emploi. C'est parfaitement honteux, car le plein-emploi est possible. C'est pour cela que la baisse du chômage et la réforme du marché du travail doivent être la priorité dans l'agenda des réformes. De l'angoisse des jeunes (et de leurs parents) à la crainte des ouvriers devant les délocalisations, de la crise des banlieues à la peur des quinquagénaires devant une possible perte d'emploi vécue comme définitive, les symptômes des ravages du chômage en France sont patents.

Il est tout aussi manifeste que les différentes tentatives de réformes ont jusqu'ici largement échoué. Ni la gauche ni la droite n'ont réussi à faire baisser durablement le taux de chômage. Depuis un quart de siècle, seules des embellies conjoncturelles ont permis de faire reculer le chômage, mais jamais pour longtemps, hélas ! À chaque fois, les gouvernements ont fait semblant de croire qu'ils avaient réussi à atteindre les racines du mal grâce à quelques petites mesures ; mais, à chaque fois, le taux de chômage est remonté lorsque la croissance a ralenti. Sans réformes en profondeur, le chômage va remonter lors du prochain ralentissement économique.

Les raisons de cet échec capital de la France sont bien connues. Les réformes du marché du travail, aussi timides soient-elles, déclenchent toujours des réactions particulièrement acharnées. On croit souvent que ce qui arrange les entreprises doit nécessairement être au détriment des travailleurs et vice versa. Les opinions des entreprises et des syndicats sont si parfaitement opposées que l'échec paraît parfaitement naturel et prévisible. Et si ce n'était pas vraiment le cas ? Et si les réformes pouvaient profiter à tout le monde ?

D'un côté du débat, les entreprises considèrent qu'elles ont besoin de plus de flexibilité pour répondre aux variations de la demande et à la concurrence. De ce point de vue, les entreprises ont raison. Le marché du travail en France est l'un des plus rigides parmi les pays développés, toutes les comparaisons internationales le montrent. Les entreprises hésitent à embaucher parce qu'elles savent qu'elles peuvent difficilement débaucher en cas de problème – par exemple une baisse inattendue de la demande ou une mutation technologique qui transforme la production. Pour elles, les règles actuelles du marché du travail sont une entrave à l'embauche. Le résultat ? Le sous-emploi et la précarité généralisés, notamment chez les jeunes – ceux pour lesquels les entreprises ont le moins de certitudes quant à leur productivité. De fait, la France est le seul pays de l'OCDE où les règles du marché du travail étaient plus rigides à la fin des années 1990 que dix ans auparavant ! Pire même, au cours des dernières années, la jurisprudence de la Cour de cassation a rendu les procédures de licenciement économique beaucoup plus contraignantes, incertaines et coûteuses pour les entreprises.

Or, pour chaque emploi qu'elles veulent pourvoir, les entreprises tâtonnent beaucoup avant de trouver le candidat idéal : en moyenne, pour une création d'emploi, une entreprise embauche trois personnes et se sépare de deux autres[4]. Plus les entreprises sont dynamiques, plus elles créent des emplois et donc plus elles sont pénalisées par une législation rigide. Les start-ups et autres petites entreprises sont particulièrement touchées. Les jeunes entreprises hésitent à embaucher, notamment quant elles atteignent les seuils (10, 11, 20, 50, 150, 200, 250, 300... salariés) à partir desquels la réglementation sociale devient plus contraignante. Les chiffres sont sans ambiguïté : il se crée en France autant d'entreprises qu'ailleurs, mais trop peu d'entre elles franchissent l'étape de la start-up ou de la PME. Les contraintes dans le droit

4. Voir Pierre Cahuc et André Zylberberg, *Le Chômage : fatalité ou nécessité ?* Paris, Flammarion, 2004.

du travail empêchent trop souvent nos entrepreneurs de dépasser le stade de l'idée brillante pour la transformer en réussite commerciale. En revanche, les entreprises qui ronronnent au bas de l'échelle technologique sont beaucoup moins pénalisées. C'est la place de la France dans le monde qui est aussi en jeu.

De l'autre côté, les travailleurs associent flexibilité du travail avec précarité, pauvreté et chômage accru. Dans la France d'aujourd'hui, ils n'ont pas tort non plus. Perdre un emploi expose un travailleur au risque de ne pas pouvoir en retrouver un autre pendant très longtemps. En réalité, le marché de l'emploi est segmenté. Les travailleurs embauchés avec un contrat à durée indéterminée (CDI), même si leurs conditions de travail ne sont pas toujours idéales, ont un grand avantage : le CDI protège beaucoup du risque de licenciement. Une fois la barrière de l'embauche en CDI franchie, le licenciement devient très difficile. En outre, en cas de problème dans l'entreprise, les plus anciens savent que ce sont d'abord les nouveaux arrivés qui seront licenciés. Et si le licenciement advient, les délais juridiques apportent encore une protection. C'est bien pour cela que les entreprises préfèrent souvent payer des indemnités négociées plutôt que de passer devant le tribunal des prud'hommes.

En dehors du CDI, la précarité prévaut. Les travailleurs passent d'un contrat à durée déterminée (CDD) au chômage, puis à l'intérim, puis de nouveau au chômage, tandis que certains demeurent chômeurs de longue durée. Pour tous ceux-ci, la précarité est la norme de vie, avec toutes les conséquences imaginables en termes de pauvreté et de détresse psychologique. Pour eux, le CDI est à la fois un objectif très désiré et un obstacle formidable pour entrer dans la vie professionnelle. Comme les entreprises redoutent de recruter en CDI des personnes dont elles ne sont pas assurées d'avoir besoin plus tard, le CDI devient pour beaucoup un obstacle infranchissable.

Au total, donc, d'un côté ceux qui disposent d'un CDI, de l'autre des travailleurs précaires, voire très précaires. Seule l'Espagne a un marché du travail aussi segmenté. Quel regard portent les salariés sur la France ainsi coupée en deux ? On s'attendrait à ce que ceux qui sont protégés par le CDI (la grande majorité des travailleurs) soient très satisfaits de leur sort tandis que les autres ressentent une grande frustration face à leur précarité. Or, si les précaires sont en effet très mécontents, les travailleurs en CDI le sont tout autant. Dans une enquête, publiée en 2004[5], on a interrogé des milliers de travailleurs dans vingt-trois pays européens sur leur crainte d'être mis au chômage et sur leur angoisse au travail. À la question : « Votre emploi est-il sûr ? », c'est en France que les réponses sont les plus négatives. Aux questions : « Craignez-vous de perdre votre emploi ? » et « Êtes-vous satisfait(e) de votre emploi actuel en termes de sécurité de l'emploi ? », la France a les quatrièmes réponses les plus négatives (sur vingt-trois), seuls

5. Fabien Postel-Vinay et Anne Saint-Martin, « Comment les salariés perçoivent la protection de l'emploi... », disponible sur http ://www.inra.fr/internet/departements/esr/ur/lea/documents/wp/wp0312.pdf.

le Portugal, la Grèce et l'Italie font pire que nous. En revanche, la satisfaction est élevée dans les pays où les marchés du travail sont moins rigides mais où, aussi, le chômage est faible (Scandinavie, Royaume-Uni).

Quel paradoxe ! C'est dans les pays, comme la France, qui cherchent le plus à décourager les licenciements que les travailleurs sont le plus inquiets dans leur travail et qu'ils redoutent le plus d'être au chômage. Inversement, c'est dans les pays où le licenciement est le plus facile pour les entreprises que les travailleurs se sentent le plus sécurisés dans leur travail et craignent le moins d'être au chômage. Étonnant pour un Français convaincu que la libéralisation du marché du travail ne peut se faire qu'au détriment des salariés !

L'explication de ce paradoxe est simple. En France, les travailleurs en CDI savent bien que si, un jour, ils se trouvent au chômage, ils risquent de demeurer exclus du marché du travail pour longtemps. Même ceux qui sont protégés par le CDI sont angoissés, à l'idée de tomber dans la précarité. Ils savent que s'ils se retrouvent du mauvais côté de la barrière, ils auront beaucoup de mal à revenir du bon côté. En revanche, ce qui rassure les travailleurs dans les pays européens où le marché du travail est flexible, c'est qu'ils savent qu'ils peuvent rapidement retrouver un emploi en cas de licenciement, puisque le taux de chômage est faible. Avec le plein-emploi, le chômage est une mauvaise passe, brève et bien indemnisée, et non pas un drame.

Car non seulement le chômage est relativement fréquent et long en France, mais il est aussi mal assuré. À première vue, si l'on regarde les chiffres officiels, l'indemnisation n'est pas trop mauvaise : l'assurance chômage s'élève à 73 % du salaire. C'est évidemment beaucoup plus faible qu'au Danemark (90 % du dernier salaire), mais ce pays est le plus généreux de tous. Le plus inquiétant est que les chômeurs ne sont pas tous assurés, loin de là. En septembre 2006, l'Unedic versait des allocations à 2,2 millions de chômeurs inscrits, alors que les chiffres officiels du chômage étaient de 2,4 millions (au sens du Bureau International du Travail). Il faut aussi ajouter les 1,6 million de personnes qui recherchent un emploi sans être enregistrées comme chômeurs parce qu'elles exercent à temps très partiel, démarrent dans la vie, sont en fin de droits ou officiellement dispensées d'inscription à l'ANPE... Tout autant que les chômeurs indemnisés, sinon plus encore, ces personnes sont en précarité, avec pour seule assistance les *minima* sociaux. Il n'est vraiment pas étonnant que les travailleurs, y compris ceux en CDI, soient très angoissés à l'idée de perdre leur emploi.

Tom et Jerry à la rescousse

La tragédie du chômage français est ici plantée. D'un côté, des entreprises qui ont de plus en plus besoin de flexibilité ; sous le joug de la concurrence et d'un droit du travail déjà très rigide, elles rechignent à embaucher et à donner aux salariés des gages supplémentaires contre la précarité. De l'autre côté, des travailleurs angoissés qui se cabrent et protestent dès qu'on leur parle de flexibilité supplémentaire. Dans ces conditions, chacun essaye de jouer une partie contre l'autre. Les entreprises s'efforcent de contourner les règles en poussant à la démission les employés dont elles ne veulent plus, au besoin en leur rendant la vie insupportable. Les syndicats, de leur côté, tendent à considérer les employeurs comme l'ennemi, et agissent en conséquence. La rigidité pourrit les relations sociales.

Ces mauvaises habitudes se retrouvent au gouvernement. La gauche a introduit la loi Guigou de 2002 de modernisation sociale, qui rend plus difficiles les « licenciements boursiers », ceux qui sont mis en œuvre par des entreprises qui font encore des profits. Cette démarche est absurde car interdire à une entreprise en bonne santé de licencier, c'est la condamner à rester dans les secteurs en déclin et l'empêcher d'investir pour se redéployer à temps dans les secteurs d'avenir, donc avant d'être en difficulté ! La droite, en 2006, avec le contrat première embauche, a essayé d'instiller un peu plus de flexibilité, mais elle s'est complètement pris les pieds dans le tapis : le CPE a rajouté de la flexibilité là où il y avait déjà beaucoup de précarité (chez les jeunes), alors même que les entreprises ne le demandaient pas ! Le défunt CPE ne changeait rien, ou presque, pour les entreprises (qui souhaitent avant tout une réforme du CDI et avaient déjà les CDD pour embaucher les jeunes à l'essai) et il angoissait encore un peu plus les travailleurs et les jeunes. C'est tout le contraire de ce qu'il fallait faire !

La seule bonne nouvelle de la crise du CPE est qu'elle a probablement signé la mort des petites réformes à la dérobade où le gouvernement se dit : « Les Français n'aiment pas la réforme, surtout du marché du travail.

Pourtant, il faut bien faire quelque chose pour faire baisser le chômage. Réformons en catimini. Mais ne réformons qu'un petit peu, à la marge, pour éviter que les syndicats ne hurlent trop. Baptisons tout cela d'un sigle abscons (TUC en 1984 avec Laurent Fabius, CIP en 1994 avec Édouard Balladur, CNE et CPE avec Dominique de Villepin) et le tour de magie sera joué. » La seule magie est que les gouvernements continuent à appliquer des recettes qui n'ont marché ni en France ni ailleurs. Évidemment, à chaque fois, les Français ruent dans les brancards : ils se sentent déjà en précarité, on leur en rajoute encore un peu. Tout cela pour des réformes dont on sait bien qu'elles ne changeront pas grand-chose. Une tragédie pour tout le monde.

Pour trouver la solution, plutôt que la tragédie qui se termine toujours dans le malheur, allons plutôt au cinéma voir les dessins animés *Tom et Jerry*. Tom, le gros chat pas très malin, veut passer sur le chemin de Spike, le gros chien bouledogue, pour attraper Jerry la souris. À chaque fois, Tom veut passer à la dérobade, à chaque fois, Spike se réveille et court après Tom, pour le plus grand bonheur de Jerry. Tom échoue toujours, et recommence toujours. Ne serait-il pas plus intelligent pour Tom de négocier avec Spike et de lui donner une bonne pâtée comme prix de son passage ? Transposons *Tom et Jerry* à notre cas : Tom représente les gouvernements qui veulent réformer le marché du travail ; Spike, ce sont les syndicats et les manifestants qui s'opposent de toutes leurs forces à ces réformes. Depuis vingt-cinq ans, nos gouvernants, comme Tom, ont essayé de passer à côté de Spike sur la pointe des pieds, en espérant qu'ils ne réveilleraient pas le gros chien. Depuis vingt-cinq ans, le gros chien Spike se réveille à chaque fois que Tom veut passer à la dérobade ; Spike aboie, montre les crocs et la caravane du gouvernement ne passe pas. Pour notre bonheur de spectateurs (et celui de Jerry), Tom ne passe jamais et la farce recommence indéfiniment. Dans la réalité du marché du travail, il n'y a pas de Jerry à qui profitent ces échecs répétés ; la farce tourne à la tragédie avec ce gâchis considérable que constitue le chômage de masse.

Hamlet au travail

Pour sortir du cercle tragique, pourquoi ne pas apprendre de ces pays du Nord qui ont à la fois un taux de chômage faible et une plus faible angoisse professionnelle des travailleurs ? Le Danemark est le plus emblématique et le plus couronné de succès. Au pays de Hamlet, le marché du travail repose sur un triptyque :

– Liberté complète d'embauche et de licenciement. Les entreprises danoises peuvent embaucher et licencier comme elles le veulent, sans restrictions, du jour au lendemain. À la différence de la France, pas de contentieux devant les prud'hommes ou devant les tribunaux, pas de procédures juridiques et administratives interminables et incertaines, pas d'obligations de reclassement. Le marché du travail y est fluide, les gens passent en grand nombre d'un emploi à un autre. Ils se retrouvent parfois à la case chômage, plus souvent qu'en France, mais pas pour longtemps. Dans une économie ouverte sept fois plus petite que celle de la France, l'adaptation des entreprises à la concurrence internationale et au progrès technologique est comprise par tous comme un impératif de survie et de progrès économiques.

– Forte indemnisation du chômage. Le chômeur danois reçoit une indemnisation qui représente 90 % de son dernier salaire, avec un maximum de 1 900 € par mois. Cette indemnisation peut durer jusqu'à quatre ans. De ce fait, les travailleurs danois se sentent sécurisés : le chômage n'est pas un trou noir financier et moral. Il est un passage, certes désagréable et assez fréquent, mais il n'est pas synonyme de drame.

– Obligation de chercher un travail ou de suivre activement une formation professionnelle. Au Danemark, être chômeur est un job à temps plein. En contrepartie d'une assurance chômage généreuse, on exige, et on vérifie, que la recherche d'emploi soit assidue. En cas d'échec à retrouver rapidement un travail, les chômeurs sont obligés de suivre une formation professionnelle. Cette approche réduit le nombre d'abus de l'assurance chômage et la rend le plus efficace possible.

Le génie du modèle danois est d'avoir instauré un contrat gagnant-gagnant. C'est ce qu'ils appellent la « flexisécurité » : grande flexibilité pour les entreprises ET forte assurance pour les employés. Aux entreprises est donnée la flexibilité dont elles ont besoin pour s'adapter à la concurrence et au progrès technique. Aux travailleurs est donnée l'assurance qu'ils demandent face au risque de chômage. À la différence des Français, les Danois ont compris qu'il ne sert à rien de protéger les emplois en tant que tels, mais qu'il faut protéger les travailleurs par l'assurance et non par des contrats rigides. Les salariés danois acceptent la flexibilité en échange d'une bonne assurance chômage, les entreprises payent l'assurance pour avoir la flexibilité.

Au Danemark, le taux de chômage est de 4,8 %. Surtout, le taux d'emploi parmi les 16-64 ans est de 75 % contre 63 % en France, où un grand nombre de gens ont été découragés de chercher un travail. Si la France avait le même taux d'emploi que le Danemark, il y aurait 5 millions d'emplois en plus ! Hamlet disait : « Il y a quelque chose de pourri au royaume du Danemark », ce n'est manifestement pas le cas pour le marché du travail.

Que proposons-nous, donc ? De nous inspirer de l'exemple danois pour réformer les contrats de travail. Certains affirment que la flexisécurité à la danoise n'est pas transposable en France, parce que chaque pays a ses spécificités et ses traditions. Certes, mais cela n'explique pas pourquoi nous ne pourrions pas importer cette intuition géniale : échanger plus de flexibilité pour les entreprises contre plus d'assurance pour les travailleurs. Nous reprenons donc tout simplement les propositions formulées en 2004 dans un rapport officiel[6] par les économistes Pierre Cahuc et Francis Kramarz. Leur idée centrale est l'unification de tous les contrats de travail (à l'exception de l'intérim) dans un contrat de travail unique qui éliminerait les complexités juridiques du

6. Pierre Cahuc et Francis Kramarz, *De la précarité à la mobilité : vers une sécurité sociale professionnelle*, rapport officiel, ministère de l'Économie, des Finances et de l'Industrie, Documentation française, Paris, 2004.

code du travail et les restrictions excessives au licenciement.

En contrepartie de la liberté complète pour embaucher et licencier, les entreprises devraient payer à chaque licenciement, d'une part, une indemnité fixe (par exemple 10 % de la rémunération brute annuelle plus une prime fonction de l'ancienneté), d'autre part, une cotisation de solidarité de 1,6 % du salaire annuel, versée au fonds d'indemnisation du chômage. Cette dernière cotisation de solidarité est la transposition au marché du travail du principe pollueur payeur. Il est normal – et économiquement efficace – que les entreprises qui licencient couvrent les coûts (allocation chômage, moindres rentrées fiscales et sociales, gâchis de capital humain) qu'elles imposent à la collectivité. Une forme alternative de cotisation de solidarité est l'instauration d'un système de bonus-malus sur les cotisations chômage payées par les entreprises, proposé par Olivier Blanchard et Jean Tirole en 2003. Les entreprises qui licencieraient moins que la moyenne de leur secteur paieraient moins de cotisations (bonus), celles qui licencieraient plus que la moyenne paieraient plus de cotisations chômage. Ce mécanisme devrait inciter les entreprises à mieux gérer leurs licenciements et, au final, réduire le volant global de chômage.

En ce qui concerne les travailleurs, ils auraient droit, en cas de chômage, à une assurance substantielle et universelle, ainsi qu'à un accompagnement personnalisé pour le retour à l'emploi. Pour garantir le bon fonctionnement de ces assurances, notamment pour éviter les abus, un contrôle effectif et un suivi individualisé des chômeurs serviraient deux objectifs : une assistance de qualité pour l'aide à la recherche d'un emploi et, au besoin, une formation professionnelle. Autrement dit, une recherche active de travail et, en cas d'échec, une formation professionnelle doivent être la contrepartie de l'assurance. Les allocations de chômage redeviennent ainsi une assurance et non un droit inconditionnel.

Cette grande transformation redynamiserait le marché du travail et l'économie française, mais elle bouleverserait les habitudes et, bien sûr, elle lèserait certaines personnes, qu'il faudrait alors dédommager. Qui sont ces personnes ? Une première réponse serait simple : ceux qui disposent d'un CDI. Pour eux, en effet, la réforme signifie la perte d'une solide protection antichômage. Dans cette optique, les chômeurs et les travailleurs précaires (CDD) n'auraient pas droit à une compensation puisqu'ils ne perdraient rien à la réforme, en fait, ils ont tout à y gagner.

Ce n'est pas ce que nous proposons, car cela reviendrait à ne compenser que ceux qui ont signé un CDI avant la réforme. Or, comme le montrent les sondages que nous avons cités et les mouvements sociaux récents, c'est l'ensemble des parties prenantes (travailleurs, chômeurs, jeunes, parents...) qui se sent menacé par la précarité du travail, à juste titre. Si l'on veut qu'une réforme du travail soit acceptée, elle doit offrir une assurance permanente à tout le monde. La compensation que nous proposons est donc une assurance chômage universelle, généreuse et assortie d'aide efficace à la recherche d'emploi.

Le Crédit Assurance Chômage

De quoi doit-on indemniser ? Après la réforme, plus de gens passeront par la case chômage, mais pour un temps plus court qu'actuellement. L'indemnisation doit compenser chaque travailleur du fait que le risque de chômage va augmenter. Elle s'appuierait sur trois éléments.

Tout d'abord, chaque chômeur doit disposer d'un suivi personnalisé et d'une aide conseil efficace pour retrouver rapidement un emploi. Encore une fois, les pays scandinaves ont acquis dans ce domaine une solide expérience qui peut être étudiée et transposée au contexte français. Cela demandera une amélioration massive de la performance de l'ANPE (ou de ses sous-traitants) et donc un investissement important. Comment le financer ? Ici, pas besoin de dépenses supplémentaires ; chaque année, les dépenses en formation professionnelle sont de l'ordre de 20 milliards d'euros (1,1 % du PIB), dont 15 milliards d'euros (0,8 % du PIB) à la charge directe des entreprises. Ces sommes sont dépensées de manière obligatoire par les entreprises (suite à des lois ou conventions collectives), sans que l'on sache vraiment à quoi elles servent. Il y a de fortes présomptions que cet argent soit mal dépensé (en France, depuis dix ans, la productivité du travail a significativement ralenti, alors qu'elle a nettement augmenté dans des pays comme les États-Unis sans formation professionnelle mandatée par l'État). Une partie de ces charges pourrait utilement être redirigée vers le financement du suivi des chômeurs sans vraiment causer de tort, si ce n'est aux officines de formation. Une autre partie de ces 15 milliards sera utilisée plus loin dans le chapitre.

Le deuxième élément de compensation concerne l'assurance chômage qui doit être fortement améliorée. C'est le cœur de notre mécanisme de compensation. Nous proposons une bien meilleure assurance en échange de la flexibilité. Si l'on prend la norme danoise au sérieux pour les contrats de travail, il faut le faire également pour l'assurance chômage, qui s'établirait à 90 % du salaire net de référence, contre 73 % actuellement. De manière cruciale, cette assurance fortement améliorée serait versée à tous les demandeurs d'emploi, pourvu qu'ils cherchent activement un travail, et non pas seulement à ceux qui sont actuellement éligibles. En septembre 2006, ils étaient 1,6 million de chômeurs à n'avoir ni emploi ni droit aux allocations de chômage. Au lieu des *minima* sociaux, ils devraient aussi recevoir une assurance chômage. En plus de l'aspect psychologique – toucher une allocation de chômage n'est pas la même chose que de recevoir le RMI –, ils seraient mieux indemnisés et fortement encouragés à rechercher un emploi. Ils devraient être nombreux à revenir sur le marché de l'emploi et à trouver un travail. De plus, tous auraient, grâce à la libéralisation du marché du travail, une beaucoup plus forte probabilité de trouver un travail.

Troisièmement, pour que chaque travailleur se sente individuellement protégé et compensé de la flexibilité supplémentaire, l'assurance chômage ne serait pas versée après la perte d'emploi (avec toutes les craintes de ne pas être couvert), mais avant, au moment du lancement de la réforme. Comment et sous quelle forme réaliser ce tour de magie ? Chaque travailleur effectif ou potentiel serait doté d'un compte personnalisé d'assurance chômage, un peu comme les points du permis de conduire. À son entrée dans la vie active, chacun verrait son compte crédité d'un mois d'assurance chômage pour chaque année de travail restant et jusqu'à la retraite prévue. Par exemple, si l'entrée sur le marché de l'emploi se fait à 20 ans – le cas type que nous examinons –, le crédit sera de quarante mois si la retraite reste à 60 ans. À terme, ce sera le lot commun de tous les jeunes (y compris les étudiants, mais ils ne pourront s'en servir qu'après avoir commencé à travailler). Au lancement, le nombre de points crédités dépendra de l'âge de chacun ; par exemple, si l'âge de la retraite reste à 60 ans, une personne de 35 ans recevra vingt-cinq points au lancement de la réforme. Ce crédit assurance chômage pourrait être utilisé au long de la vie professionnelle. En cas de licenciement ou de départ volontaire – pour trouver un autre travail plus attractif ou pour faire de la formation professionnelle librement choisie –, chacun pourrait utiliser son compte Crédit Assurance Chômage pour obtenir le paiement d'une allocation qui représenterait 90 % du dernier salaire. Les nouveaux entrants sur le marché du travail recevraient 90 % du Smic.

Comment fonctionnera le Crédit Assurance Chômage ? En cas de licenciement (quelle que soit sa forme juridique) ou de démission volontaire, la personne pourra tirer sur ce compte tant qu'elle démontrera qu'elle cherche sérieusement un emploi et n'en trouve pas. L'allocation sera de 90 % du dernier salaire – ou du Smic pour ceux qui n'ont pas encore travaillé – jusqu'à un maximum de 1 650 € par mois. Cette somme, qui sera indexée sur le PIB, est choisie parce que la moitié des salariés gagnent aujourd'hui 1 650 € ou moins par mois. Pour une moitié d'entre eux, les salariés auront donc droit à une allocation qui représente effectivement 90 % de leur dernier salaire. Les plus fortunés, ceux qui se trouvent dans l'autre moitié, auront tout intérêt à mettre de l'argent de côté ou, mieux encore, à contracter une assurance privée contre le chômage pour compléter les 1 485 € (90 % du plafond de 1 650 €) qu'ils recevront du régime général.

Ce système du crédit assurance chômage, dont une version proche existe déjà en Autriche (où le taux de chômage est de 4 à 5 %), présente de nombreux avantages. Le principal serait l'extension de l'assurance à tous les Français en âge de travailler, quelles que soient leur expérience et les raisons pour lesquelles ils sont au chômage, à la seule condition qu'ils soient effectivement désireux de travailler.

Ensuite, le système de points jouera comme un motif supplémentaire pour trouver rapidement un emploi. Par prudence, chacun voudra économiser les mois disponibles, mais qu'adviendra-t-il des mois non utilisés en fin de carrière ? Ayant contribué à réduire les dépenses de l'État, un travailleur économe devra être récompensé. Une possibilité serait de partager 50-50 : la moitié des mois restants pourrait être versée en cash au moment de la retraite à hauteur de 90 % du dernier salaire, l'autre moitié revenant à la collectivité. Une autre possibilité serait de partir à la retraite soit plus tôt, soit à l'âge normal mais avec un joli petit pécule.

Un autre avantage important est que le Crédit Assurance Chômage est transportable. Aujourd'hui, les travailleurs perdent leurs droits à l'assurance chômage s'ils quittent volontairement leur emploi, d'où une réticence à aller chercher un meilleur travail. Les règles d'ancienneté découragent la mobilité qui, au contraire, devrait être encouragée puisqu'elle permet de rechercher un emploi plus en phase avec ses préférences, qui souvent changent durant la vie professionnelle. De plus, la mobilité réduit le pouvoir que les employeurs exercent sur leurs employés lorsqu'ils savent que ceux-ci ont peur de partir.

La mobilité est aussi importante pour la productivité du travail. Elle l'est en particulier dans les secteurs en déclin où les gens rechignent à quitter leur entreprise pourtant en difficulté car, bien légitimement, ils veulent garder leurs droits, qu'ils perdraient s'ils partaient volontairement chercher un travail incertain dans une région ou un secteur plus prometteur. Les travailleurs s'accrochent avec un désespoir souvent accompagné de colère, à leur navire en perdition. Avec notre système, le travailleur peut anticiper la fin de son emploi, partir avant qu'il ne soit trop tard et prendre le temps de chercher un emploi adéquat. Avec le Crédit Assurance Chômage, l'assurance chômage est neutre par rapport à l'ancienneté dans une entreprise.

Un mérite additionnel du Crédit Assurance Chômage est qu'il découragerait les comportements d'attente initiale dans la recherche d'un emploi après la perte du précédent. Nombreux, en effet, sont ceux qui, aujourd'hui, tendent à considérer leurs premiers mois de chômage comme des congés qui leur permettent de souffler et de se reconstruire après le traumatisme du licenciement. Grave erreur, car c'est dans ces premiers mois qu'ils ont le plus de chances de retrouver un travail. Avec le Crédit Assurance Chômage, cette tentation est limitée.

On peut aussi envisager la possibilité de recharger le Crédit Assurance Chômage. Un ex-chômeur réemployé pourrait demander à son nouvel employeur le rachat de mois, par exemple en échange d'heures supplémentaires. Ce pourrait être un important avantage pour les travailleurs saisonniers qui alternent des périodes de chômage et des périodes de travail très intensif. La solution au problème des intermittents du spectacle ?

Évidemment, le Crédit Assurance Chômage n'est pas la solution à tous les problèmes et bien des aspects doivent être approfondis. Quelques inconvénients méritent d'être mentionnés. Il y a d'abord une question de mise en route du programme. Chaque Français recevra son crédit de points Crédit Assurance Chômage, en fonction de son âge. Pour les seniors, dont on sait les difficultés qu'ils rencontrent à retrouver un emploi, accorder par exemple cinq mois de chômage, et rien de plus, à une personne âgée de 55 ans est hors de question. Une solution est la « clause du grand-père » qui consiste à ne pas appliquer le nouveau système aux personnes qui ont plus de 50 ans, par exemple ; le seul changement pour les plus de 50 ans serait qu'en cas de chômage, l'allocation serait de 90 % de leur salaire. Une autre solution serait de leur attribuer plus de points. Mais ces solutions soulèvent d'autres difficultés qui demandent une étude de détail. Ce n'est ni simple ni impossible, mais la question devient très imbriquée avec celle du départ à la retraite avant 60 ans. Comme c'est une question purement transitoire, nous ne l'explorons pas plus en détail.

Le principal problème concerne la situation des personnes qui auront épuisé leur crédit de points Crédit Assurance Chômage et donc de droit à l'assurance chômage. Un certain nombre d'entre elles auront eu beaucoup de malchance et ne peuvent pas être abandonnées. D'autres peuvent souffrir de maladies physiques ou mentales qui les rendent inemployables. Il n'est bien sûr pas question de les abandonner non plus. Ces personnes sont actuellement prises en charge par le RMI, et il en sera de même avec le Crédit Assurance Chômage – améliorer le RMI est désirable, mais c'est une autre question. Toute la difficulté est de séparer ces cas sociaux des comportements opportunistes. Un certain nombre de personnes peuvent décider d'utiliser leur compte immédiatement, en se déclarant chômeurs, pour attendre sans rien faire. C'est un comportement irresponsable, à très courte vue bien sûr, mais il aura des adeptes. Il y a aussi le risque de travail au noir.

Plus généralement, tout système d'assurance peut être abusé. Les compagnies d'assurances le savent bien et déploient diverses mesures pour limiter les abus. C'est aussi le cas des assurances chômage, Crédit Assurance Chômage ou pas. Dans ce domaine, la France a beaucoup de progrès à faire. Elle peut utilement s'inspirer des pays scandinaves, dont le Danemark. Dans ces pays, les agences de placement sont tenues de proposer rapidement des emplois aux chômeurs. Ces derniers ne peuvent pas refuser plus de trois offres, pour peu qu'elles n'exigent pas un déplacement quotidien déraisonnable. Au Danemark, en cas de refus réitéré, le chômeur est tenu de suivre une formation pour laquelle il existe des offres d'emploi non satisfaites. En cas de refus, l'allocation de chômage n'est plus versée. Et ça marche.

Avec le Crédit Assurance Chômage, ce système présente un avantage et un inconvénient. Côté avantage, la perte mensuelle de points amènera les chômeurs à examiner avec plus de bienveillance les offres d'emploi qu'ils recevront, ce qui va dans le sens recherché, celui de remettre au plus vite les chômeurs au travail. Si le nouvel emploi ne convient pas, chacun peut en rechercher ensuite un autre, soit tout en travaillant, soit en tirant à nouveau sur son compte, peut-être après l'avoir rechargé.

Le revers de la médaille est que la durée du passage par la case chômage, et donc la perte de points, ne dépend pas uniquement des chômeurs. Elle dépend aussi de la performance de l'agence de placement. C'est injuste parce que si l'agence est peu performante, c'est le chômeur qui perd des points. Il y a aujourd'hui quelque 300 000 offres d'emploi insatisfaites. C'est faible en regard des 4 millions de demandeurs d'emploi. À terme, grâce à la réforme, lorsque le chômage aura diminué et la croissance augmenté, des agences de placement bien gérées ne devraient pas avoir de difficultés majeures à fournir les offres, et leur performances devront être soigneusement évaluées ; au besoin, des chômeurs mal assistés devraient pouvoir obtenir le remboursement de points gaspillés. Mais d'ici là ? Il se pose effectivement un problème de transition ; nos propositions, forcément complexes, sont présentées en annexe à la fin du livre. En bref, il s'agit d'offrir, durant une période de transition qui recouvre largement le retour prévu au plein-emploi, un nombre plus élevé de points à ceux qui sont au chômage.

Il reste que l'afflux soudain de 2 millions de chômeurs supplémentaires à indemniser et à suivre de près – tous ceux qui ne sont pas aujourd'hui inscrits à l'ANPE parce que non éligibles – va créer des complexités administratives. Si l'ANPE et l'Unedic ne pouvaient pas y arriver, on pourrait imaginer de confier tout ou partie de leur travail à des agences privées de placement, qui connaissent mieux le marché de l'emploi que l'ANPE, et à des assureurs généralistes (publics ou privés), qui ont l'expérience de la gestion des tricheries et arnaques à l'assurance dans tous les domaines.

Combien coûterait le Crédit Assurance Chômage ?

Venons-en maintenant au chiffrage de notre réforme. Pour être sûrs de ne pas minorer notre évaluation, nous faisons des hypothèses qui pèchent probablement par excès de prudence. Nous supposons qu'il faudra dix ans à la France pour converger vers une situation à la danoise. C'est, en gros, le temps qu'a mis la Grande-Bretagne pour voir son taux de chômage redescendre à 5 %. Au lieu des 5 millions d'emplois prédits par le cas danois, nous supposons que la réforme en créera « seulement » 4 millions, le nombre actuel des demandeurs d'emploi officiellement répertoriés – les chômeurs inscrits et ceux qui ont perdu leurs droits. En pratique, nous considérons que l'emploi augmentera régulièrement durant dix ans, soit 400 000 emplois supplémentaires par an, et que le Crédit Assurance Chômage sera attribué à tous les employés et à tous les demandeurs d'emploi dès la première année de la réforme.

Dans ces conditions, en l'an 1 de la réforme, le coût de l'assurance chômage passe de 1,5 à 3,2 % du PIB. Mais, dès la deuxième année, le taux de chômage se met à baisser, le nombre d'emplois croît et les dépenses de l'Unedic commencent à refluer. Au bout de dix ans, le plein-emploi est atteint et les dépenses de l'Unedic se stabilisent à 0,9 % du PIB d'alors.

Le coût total de notre réforme est l'écart entre le *statu quo* – l'Unedic paye tous les ans 1,5 % du PIB en allocations chômage – et notre scénario. Comme, dès la huitième année, les dépenses annuelles sont inférieures au *statu quo*, plus on regarde loin, moins l'opération est coûteuse puisque le surcoût initial est compensé par les économies ultérieures dues au retour au plein-emploi. L'opération peut même être considérée comme une source d'économies si l'on regarde très loin. À l'horizon de quinze ans, le surcoût est de 70 milliards d'euros, soit 3,8 % du PIB d'aujourd'hui.

70 milliards d'euros, est-ce beaucoup ? C'est énorme, bien sûr. Mais il faut comparer cette somme

avec les dépenses annuelles de la politique d'emploi, qui sont aujourd'hui de 63 milliards d'euros : 30 pour l'Unedic, 13 pour le budget du ministère du Travail, 20 au titre des allègements de charges sur les bas salaires. À ces 63 milliards, il convient d'ajouter encore 20 milliards d'euros pour la formation professionnelle obligatoire pour les entreprises. Au total, donc, l'État consacre, directement ou indirectement, 83 milliards d'euros par an à une politique de l'emploi et de la formation qui, à bien des égards, est un échec. Or, sans réforme, il n'y aura pas de répit durable pour le taux de chômage. Tant qu'il y aura 4 millions de demandeurs d'emploi, d'une manière ou d'une autre, il faudra bien les aider. Autrement dit, sans réforme du marché du travail, l'État s'est d'ores et déjà engagé à verser près de 100 milliards par an, chaque année, indéfiniment. À cette aune, le surcoût de 70 milliards d'euros, pour solde de tout compte, pour remettre la France dans le plein-emploi au bout de dix ans, apparaît comme une très bonne affaire.

Qui va payer ? Il serait tentant *a priori* de faire payer à parts égales salariés et entreprises (par exemple, des cotisations chômage plus élevées). Mais ce n'est pas la peine. Nous avons déjà proposé d'utiliser, pour financer les agences de placement, une partie des 15 milliards dépensés chaque année par les entreprises au titre de la formation professionnelle. Une fois cela fait, il restera encore beaucoup d'argent qui peut être mieux utilisé. Un transfert annuel de 5 milliards à l'Unedic permet de financer complètement notre réforme. En effet, cumulé sur quinze ans, ce montant, indexé sur le PIB, rapporte les 70 milliards d'euros que coûte notre réforme.

Comment en pratique ce financement se déroulerait-il ? En plus de son budget actuel, indexé sur le PIB, l'Unedic se verrait affecter par la loi chaque année un tiers du budget aujourd'hui consacré à la formation professionnelle des entreprises. Dans les premières années, ce ne serait pas suffisant pour couvrir le surcoût. Le déficit serait financé par des emprunts de l'Unedic sur les marchés financiers. Selon nos calculs, l'Unedic devrait emprunter 27 milliards la première année, 23 la deuxième... pour un total de 100 milliards sur les sept premières années. À partir de la huitième année, l'Unedic ferait des économies par rapport au *statu quo*. À la quinzième année, la dette contractée pour financer la transition vers le plein-emploi serait entièrement remboursée.

En pratique, il s'agira de ne forcer personne. Chaque employé, qu'il soit en CDI ou en CDD, recevra un nouveau contrat de travail, incluant les nouvelles conditions de licenciement. Ceux qui l'accepteront recevront un Crédit Assurance Chômage. Ceux qui auront refusé de signer garderont leurs anciens contrats et tous les contrats signés après la réforme seront du nouveau type. Ainsi, graduellement, avec la rotation normale de la main-d'œuvre, tous les salariés fonctionneront avec le contrat unique. Cette transition sera accélérée car les entreprises subordonneront probablement les promotions internes à la signature d'un nouveau contrat de travail sous nouveau régime.

Ces questions techniques résolues, il reste la grande question : est-ce que la compensation proposée convaincra l'opinion publique d'appuyer la réforme proposée ? Pourquoi n'y aurait-il pas des centaines de milliers de personnes dans les rues comme lors du CPE ? Affirmer que la réforme promet un taux de chômage aussi bas qu'en Europe du Nord, et donc permet d'échapper au scandale et au gouffre financier que représente le chômage, ne suffira pas à emporter l'adhésion, bien sûr. Regardons la situation groupe par groupe.

Il y a d'abord ceux qui ont aujourd'hui un CDI. Il leur est demandé d'abandonner une protection, qui ne les satisfait pas, comme on l'a vu, mais à laquelle ils sont très attachés. Outre le fait que le nouveau contrat unique prévoit des indemnités de licenciement qui augmentent avec l'ancienneté, deux éléments de la réforme devraient les intéresser. Le premier, c'est le relèvement des allocations de chômage. Même s'il est impossible de les convaincre que la réforme apportera le plein-emploi et donc effacera la difficulté à retrouver un emploi en cas de licenciement, au moins sauront-ils que le coût subi en cas de chômage sera largement éliminé. Le deuxième élément est la grande souplesse du Crédit Assurance Chômage, qui peut être reconstitué avec des heures supplémentaires et permet de recevoir un pécule en fin de carrière.

Les employés en CDD seront les grands bénéficiaires de la réforme. Certains pourront déplorer la disparition du CDI auquel ils aspirent, mais le contrat unique sera tellement supérieur au CDD qu'ils devraient reconnaître leur intérêt.

Les 4 millions de personnes aujourd'hui en recherche d'emploi sont les autres bénéficiaires immédiats de la réforme. Ils vont aussitôt voir leurs allocations augmenter. En moyenne, ils recevront 1 400 € net par mois (indexés sur l'inflation), alors que les chômeurs inscrits reçoivent aujourd'hui en moyenne 1 000 €. Ils devraient aussi être rassurés par l'extension immédiate de leurs droits, telle qu'elle est décrite dans l'annexe*.

Les autres, les demandeurs d'emploi qui touchent les minima sociaux ou rien du tout, ne perdront rien. Ils gagneront à long terme, puisque l'objectif central de la réforme est de créer des emplois pour tous.

Les jeunes seront aussi des bénéficiaires du Crédit Assurance Chômage. Actuellement les plus exposés au chômage et à la précarité, car n'ayant jamais (ou peu) travaillé, ils n'ont ni épargne de précaution ni droits à l'allocation chômage. Avec le crédit d'assurance chômage, un jeune qui entre sur le marché du travail se voit créditer de quarante mois d'assurance chômage à 90 % du Smic à laquelle il devient immédiatement éligible. Cela devrait complètement renverser leur perception de la réforme du marché du travail. Les centaines de milliers de jeunes qui ont manifesté contre le CPE, car ils craignaient plus de précarité, devraient accueillir avec bienveillance une réforme du marché du travail avec le Crédit Assurance Chômage. Une révolution par rapport à la situation actuelle, qui devrait grandement faciliter le passage politique de la réforme du marché du travail.

---

* Voir Annexe 1, p. 207.

Chapitre V

Un petit pont d'or pour sauver les retraites

Un petit peu de bouteille pour résorber un grand choc

Tout le monde sait que le système des retraites est en faillite virtuelle. D'un côté, la baisse de la fécondité et, de l'autre, l'allongement de la durée de vie forment un mélange explosif pour les régimes de retraite. Lorsque la Sécurité sociale a été créée en 1945, l'espérance de vie à la naissance était de 65 ans, âge qui a alors été choisi pour le départ à la retraite. C'est à juste titre qu'on l'a appelée « assurance vieillesse ». Le terme choisi correspondait bien à la situation : de nombreux salariés risquaient (au sens statistique) de vivre au-delà de la retraite, il fallait donc leur assurer de quoi subsister décemment. Depuis, l'espérance de vie augmente d'un mois chaque année. Et l'âge « normal » de départ à la retraite a été abaissé à 60 ans. Dans ces conditions, alors qu'en 1945 il y avait quatre cotisants pour chaque retraité, aujourd'hui, chaque retraité est financé par deux cotisants et le rapport sera de un pour un en 2050.

Le problème est simple et clair, sa solution aussi. Outre le recours à l'immigration, il n'y a que trois manières de s'y prendre : l'allongement de la durée de cotisation – autrement dit, le recul de l'âge de la retraite –, la réduction du niveau des pensions de retraite, ou encore une augmentation des cotisations des actifs. Des trois solutions possibles, le recul de l'âge de la retraite semble préférable aux deux autres. Non seulement cette solution réduit le fardeau des retraites mais aussi, grâce au maintien en activité de personnes capables de travailler, elle devient une source de croissance et donc de revenus. Les deux autres solutions ne font que répartir la misère. C'est bien pour cela que la plupart des pays européens ont d'ores et déjà retardé l'âge du départ à la retraite et envisagent de continuer. En Finlande, par exemple, une nouvelle loi indexe l'âge de départ à la retraite sur l'espérance de vie. L'Allemagne a déjà prévu la retraite à 67 ans.

Pourquoi la France tarde-t-elle à faire comme la plupart de ses voisins ? Il y a d'abord un argument apparemment imparable : c'est bien beau de demander aux seniors de continuer à travailler, mais il n'y pas assez d'emplois. De fait, les gouvernements ont tendance à utiliser les départs à la retraite comme « variable d'ajustement » pour contenir les chiffres du chômage. Les entreprises apprécient : elles remplacent un senior qui coûte cher, ancienneté oblige, par un jeune, tout cela aux frais de l'État qui paye les retraites anticipées. Cette politique malthusienne est aujourd'hui un échec reconnu : non seulement le taux de chômage reste à un niveau honteux, mais les entreprises se privent d'une main-d'œuvre expérimentée, on s'en rend désormais bien compte. Tant que le chômage restera élevé, le malthusianisme en termes d'emploi gardera son pouvoir de séduction malsaine. Tout cela ne fait qu'illustrer un thème que nous répétons chapitre après chapitre : les réformes constituent un tout. Réformer les retraites de la bonne manière demande que l'on réforme en même temps le marché du travail pour faire reculer massivement le chômage et trouver des emplois aux seniors.

L'autre blocage est politique. Lorsque chacun considère la retraite à 60 ans (voire moins) comme un droit acquis intangible, le sujet devient explosif. Michel Rocard avait jugé que ces réformes feraient sauter nombre de gouvernements. Le gouvernement Balladur a fait une réforme majeure en 1993, mais à la dérobade, dans la torpeur du mois d'août. Le gouvernement Juppé a essayé maladroitement de réformer les retraites publiques, a échoué et ne s'en est jamais remis. Lionel Jospin en a beaucoup parlé, mais n'a rien fait. Quant à la réforme Fillon de 2003, elle a réglé une partie substantielle du problème mais a épuisé les ardeurs réformatrices du gouvernement Raffarin. Une autre réforme est prévue en 2008 ; ce chapitre est une contribution au débat qui s'est déjà ouvert.

Les effets de l'allongement des années travaillées sur l'équilibre financier de l'assurance vieillesse sont spectaculaires puisque chaque année de travail en plus signifie un an de plus de cotisation et un an de moins de pension à servir. En 1999, le rapport Charpin avait indiqué – avec toutes les réserves d'usage – que fixer la retraite à 65 ans suffirait à assurer l'équilibre de l'assurance vieillesse, à l'horizon 2020, sans augmentation des cotisations et sans baisse des prestations. Bien sûr, plus l'espérance de vie s'allonge, plus il faudra travailler longtemps. Au-delà de 2020, pour équilibrer les régimes de retraite, il faudrait remonter l'âge de départ à la retraite jusqu'à 67 ans, au vu des gains anticipés d'espérance de vie.

Les droits à la retraite constituent une promesse formelle de l'État envers les retraités actuels et futurs. Les sommes promises pour les décennies à venir sont astronomiques. Tout aussi gigantesques sont les cotisations futures qu'il faudra bien collecter. Le problème est qu'aujourd'hui, les sommes promises dépassent, de très loin, les cotisations prévues. La différence représente une dette de l'État, qui pour être implicite n'en est pas moins réelle. Elle ne figure nulle part dans les comptes officiels, mais on peut la calculer, du moins approximativement. Cette dette implicite publique est égale à la somme, en euros d'aujourd'hui, de l'ensemble des déficits prévisibles des régimes de retraite publics, sur les cinquante prochaines années.

Si l'on regarde les cinquante prochaines années et si l'on adopte les estimations présentées par le Conseil d'orientation des retraites dans son rapport de 2006, les chiffres donnent le vertige. En 2007, la dette implicite de l'assurance vieillesse est de 1 500 milliards d'euros, soit 80 % du PIB. C'est beaucoup plus que la dette publique officielle qui est de 1 200 milliards d'euros, soit 65 % du PIB. Plus spectaculaire, mais aussi plus rassurant, est le fait que sans les réformes Balladur et Fillon, la dette implicite des retraites serait aujourd'hui de 4 550 milliards d'euros, soit 245 % du PIB de 2007 !

Comment ce tour de magie a-t-il été réalisé ? La réforme Balladur n'a concerné que le secteur privé – réformer les retraites du secteur public était alors considéré comme politiquement trop sensible. En allongeant de 150 à 160 trimestres la durée de cotisation requise pour bénéficier d'une retraite à taux plein, elle a retardé l'âge de départ à la retraite. Elle a aussi très substantiellement réduit les prestations de deux manières. D'abord, le salaire de référence qui détermine le montant des retraites prend désormais en compte les vingt-cinq meilleures années de la carrière, contre dix auparavant. Ensuite, les pensions sont maintenant indexées sur les prix et non sur les salaires. Autrement dit, si après le départ à la retraite les pensions sont protégées de l'inflation, elles ne suivent plus les gains de pouvoir d'achat. D'après nos calculs, les deux premières mesures ont fait ensemble baisser la dette implicite de 40 % du PIB. La dernière mesure (indexation sur les prix et non sur les salaires) a fait baisser la dette implicite des retraites de 95 % du PIB. C'est énorme, mais le plus surprenant est que ce soit passé facilement. Quant à la réforme Fillon de 2003, pour l'essentiel elle a étendu au secteur public (hors régimes spéciaux RATP, SNCF...) les dispositions de la réforme Balladur ; en outre, elle augmente pour tout le monde (public et privé) l'âge de départ à la retraite à 61 ans en 2012 et à 62 ans en 2020.

Elle a ainsi réduit la dette implicite des retraites de 30 % du PIB d'aujourd'hui.

Période 2007-2057	**En % du PIB 2007**	**En milliards d'euros (valeur 2007)**
(1) Dette implicite des régimes de retraite sans les réformes Balladur et Fillon	245 %	4 550
Impact réforme retraites Balladur		
– (2) Indexation des retraites sur les prix et non plus les salaires	95 %	1 750
– (3) Passage des 10 aux 25 meilleures années et passage de 150 à 160 trimestres pour obtenir le taux plein	40 %	750
(4) Impact réforme retraites Fillon 2003	30 %	550
Total des réformes Balladur et Fillon = (2) + (3) + (4)	165 %	3 050
Dette implicite des retraites qui reste en 2007 = (1) – (2) – (3) – (4)	80 %	1 500

Source : calculs des auteurs sur la base des estimations fournies en 2006 par le Conseil d'orientation des retraites.

En 2007, il ne reste donc plus que 80 % du PIB de dette implicite des retraites à résorber, la moitié de ce que deux réformes ont achevé. Ce seront les plus difficiles, car il faut à présent demander aux Français de travailler à terme jusqu'à 67 ans.

À chacun selon son envie

Quelle réforme proposons-nous pour les retraites ? Notre réforme n'a rien de novateur, elle est celle que tous les pays européens envisagent d'appliquer : repousser graduellement l'âge de départ à la retraite d'en moyenne cinq ans par rapport à ce qui a déjà été prévu par la réforme Fillon, et ce, suffisamment vite afin de réduire les déficits futurs des régimes de retraite à zéro. Cela implique de relever rapidement l'âge du départ effectif à la retraite de 60 à 62 puis à 65 ans (et ce, avant 2020), puis à 67 ans. Le détail de ce calendrier accéléré devrait être établi et agréé en 2008, lors de la négociation déjà prévue. Pour tenir compte de la pénibilité de certains métiers, on peut imaginer que certains salariés partent avant les autres, mais ce ne peuvent être que des exceptions. Si trop de professions étaient considérées comme pénibles, l'équilibre de l'assurance vieillesse exigerait de relever encore plus l'âge de départ à la retraite des autres professions. La nouveauté de notre proposition n'est pas là, mais dans l'idée de compenser aujourd'hui les actifs pour cette réforme.

En 2008, le gouvernement pourrait en effet essayer de passer une nouvelle fois en force et d'imposer un passage graduel à la retraite à 67 ans sur vingt ans (un trimestre de cotisation supplémentaire chaque année sur les vingt prochaines années en plus de ce qui a déjà été décidé en 2003). Parce que les précédentes réformes sont déjà passées en force, le risque pour le gouvernement de se heurter à une vigoureuse opposition s'est probablement fortement accru, d'autant que, cette fois-ci, tant les secteurs privé que public seront concernés. Fidèles à notre modèle, nous proposons une autre méthode, la compensation de ceux qui sont lésés par cette réforme, qui devrait être la dernière.

La question est alors d'identifier ceux qui pâtissent et ceux qui profitent de l'accroissement de l'âge de la retraite. Nous partons de l'idée qu'une nouvelle baisse des prestations est exclue. Dans ces conditions, les gagnants sont les générations futures. Sans la réforme, elles hériteront d'une dette énorme et devront payer beaucoup d'impôts. Une partie de ces générations futures est d'ailleurs déjà née, même si leurs membres n'ont pas encore le droit de vote. Les perdants sont ceux qui devront travailler plus longtemps, tous ceux qui travaillent actuellement ainsi que les générations futures, bien sûr. En fin de compte, ceux qui ont aujourd'hui moins de 40 ou 45 ans sont plutôt du côté des gagnants. En l'absence de réforme, lorsque la dette commencera à exploser dans une dizaine d'années, ils verront leurs cotisations grimper à toute vitesse ; avec la réforme, ils travailleront plus longtemps, certes, mais ils paieront moins d'impôts. Les plus de 45 ans, en revanche, ont de bonnes chances de ne pas avoir beaucoup à cotiser en plus. Pour eux, une réforme qui prolonge la durée de vie active est une pénalité. Il faudra en tenir compte.

Quel est le tort subi si l'âge de la retraite est repoussé progressivement à 67 ans et non à 62 ans comme actuellement prévu ? La réponse n'est pas évidente. Il y a bien sûr cinq années de plus au travail. Mais ces cinq années sont payées au salaire normal alors que la retraite ne représente qu'environ les deux tiers du salaire depuis la loi Fillon. Cela signifie donc plus de travail contre plus d'argent. Certains aimeront, d'autre pas. Qu'en pensent les personnes concernées ? Dans une note d'octobre 2006, CDC-Retraites (une division de la Caisse des Dépôts et Consignations) cite un sondage selon lequel « 61 % des Français souhaitent pouvoir partir à la retraite quand ils veulent, même après 65 ans, contre 37 % pour qui l'âge de la retraite doit être imposé pour tout le monde ». Il se trouve que plus les personnes sont âgées, plus elles sont d'accord pour retarder le moment de partir à la retraite ; elles semblent préférer plus de travail et plus d'argent. Les jeunes pensent différemment mais ils sont encore peu motivés par la question, même s'ils ont tout à y gagner. Ils sont également 67 % à savoir que le système des retraites par répartition ne peut pas survivre en l'état. Une très large majorité des Français s'attendent donc à une réforme de plus. Cela explique peut-être la relative facilité avec laquelle les deux précédentes réformes sont passées.

Au total, donc, certains seront heureux de travailler plus longtemps, et pas seulement pour gagner plus d'argent, d'autres pas du tout. Dans l'idéal, on ne devrait donc compenser que ces derniers, mais comment les identifier ? Si l'on compense seulement ceux qui se déclarent mécontents, nous aurons 100 % de mécontents ! Nous proposons donc de compenser tout le monde.

Le compte-retraite

La compensation pourrait fonctionner de la manière suivante. Chaque personne aujourd'hui active (y compris les chômeurs, mais pas les étudiants) se voit offrir la somme de 2 000 € par année de travail supplémentaire, soit 10 000 € pour un départ à la retraite à 67 ans au lieu de 62 ans. La somme choisie correspond au salaire mensuel moyen. Est-ce beaucoup ou peu ? C'est peu pour ceux qui détestent l'idée de travailler plus longtemps, c'est beaucoup pour ceux qui en sont ravis. Ce devrait être négocié, de toute façon, en gardant à l'esprit que l'alternative est la réforme sans compensation du tout – comme dans les autres pays européens. Nous prenons cette hypothèse pour poursuivre le raisonnement.

Cette somme est créditée sur un compte ouvert auprès de l'assurance vieillesse et ne sera disponible qu'au moment du départ à la retraite. (Comme il s'agit de droits à la retraite, la somme ne serait pas cessible aux ayants droit, elle s'éteindrait en cas de décès prématuré avant la date de la retraite.) Nous avons avancé le montant de 2 000 € par année supplémentaire pour fixer les idées. En pratique, cependant, la somme à retenir devrait être le résultat d'une négociation entre le gouvernement, les syndicats et les autres parties intéressées, dont les contribuables que l'on consulte rarement.

D'après nos calculs, payer 10 000 € aux actuels 27 millions de travailleurs et chômeurs lorsqu'ils auront atteint 67 ans coûte 110 milliards d'euros en valeur d'aujourd'hui, soit 6 % du PIB. C'est évidemment beaucoup d'argent. Mais ces 6 % permettraient, si la réforme était acceptée, d'éliminer toute la dette implicite actuelle qui s'élève, rappelons-le, à 80 % du PIB.

Dépenser 110 milliards pour éponger une dette de 1 500 milliards constitue un investissement hautement rentable. Politiquement, il se peut qu'une bonne négociation fasse apparaître la possibilité d'un accord pour moins cher (comme dans les autres pays européens), ou même qu'il soit encore possible de passer en force. Mais un échec, qui rendrait toute réforme impossible pour longtemps, aurait un coût considérable, bien plus élevé que la compensation proposée ici.

Un aspect de notre proposition mérite d'être précisé. Les 10 000 € ne seront pas payés au moment de l'adoption de la réforme. Ils seront versés plus tard, au fur et à mesure que les bénéficiaires atteindront l'âge de la retraite. Par exemple, avec la retraite à 67 ans, une personne aujourd'hui âgée de 40 ans recevra 10 000 € dans vingt-sept ans, qui valent beaucoup moins que 10 000 € aujourd'hui. Pour un financier qui « actualise » cette somme avec un taux d'intérêt de 4 %, cela ne vaut que 3 320 € d'aujourd'hui. Est-ce juste ? Deux bonnes raisons militent pour cette approche. Tout d'abord, c'est le moyen de tenir compte du fait que plus les gens sont âgés, plus ils sont pénalisés par la réforme. Le fait que la valeur des 10 000 € fonde avec le temps permet ainsi de coller de près au principe de compensation en fonction du préjudice subi. De plus, du point de vue politique, on sait que les personnes proches de la retraite sont très sensibles à tout ce qui touche l'assurance vieillesse, alors que les plus jeunes ont bien d'autres préoccupations (et votent moins). La compensation proposée colle donc aussi avec le besoin de convaincre.

Des cheminots aux marins, le cas des retraites prématurées

Jusqu'à maintenant, nous n'avons pas fait de distinction entre le régime général et les fameux régimes spéciaux de retraite[7]. En fait, nous les avons traités comme les autres, comme s'ils n'existaient pas. La liste de ces régimes fleure bon les spécificités de la France, le petit monde des avantages acquis, ainsi appelés pour faire oublier que ce ne sont que des privilèges justifiés seulement par l'ardeur à les défendre de ceux qui en profitent. Par effectifs décroissants, ils sont les suivants : SNCF, EDF-GDF, RATP, marins, clercs de notaires, mines, Banque de France, chambre de commerce de Paris, Opéra et Opéra-Comique, Comédie-Française, ministres des cultes d'Alsace et de Moselle ; d'autres sont en extinction comme la Seita, l'Imprimerie nationale, les Chemins de fer de l'Hérault, les cantonniers de l'Isère...

Ce sont les trois premiers qui font le plus parler d'eux, notamment les cheminots de la SNCF et les roulants de la RATP qui partent en retraite à 50 ans. Ce

7. Le régime spécial des fonctionnaires a été réformé par la loi Fillon de 2003. Il est ici considéré comme « normal », au sens où il a été déjà été intégré dans tous nos calculs généraux antérieurs. En revanche, les fameux régimes spéciaux (EDF, RATP...) n'ont pas été inclus dans nos calculs jusqu'ici dans ce chapitre.

sont ceux dont la réforme fait le plus trembler les gouvernements, et pour cause. Parce qu'ils peuvent bloquer la France, ils ont un véritable droit de veto sur l'économie, dont ils usent et abusent pour maintenir des droits à la retraite qui se légitimaient lorsque alimenter en charbon les locomotives à vapeur impliquait une espérance de vie qui dépassait à peine 50 ans. Bien heureusement, ce n'est plus le cas. Faut-il leur enlever ces privilèges ? La réalité de leur travail et l'équité envers les autres travailleurs suggèrent que oui. Le réalisme politique (éviter une grève générale des transports publics comme en décembre 1995) et le respect du contrat passé suggèrent que la réponse n'est pas aussi évidente. En effet, quand ils ont signé leur contrat avec la SNCF ou la RATP, ces salariés ont compté dans leur rémunération globale le départ à la retraite précoce. On ne peut donc pas les exproprier de ce droit sans compensation. Quant au réalisme politique, il commande de trouver une incitation qui les convaincra d'abandonner leurs privilèges sans mettre la France à l'arrêt.

Pour commencer, il est naturel d'appliquer aux régimes spéciaux le même principe que celui du régime général : 2 000 € par année de travail en plus. Leur cas a déjà été pris en compte au-delà de 60 ans, ils font partie de tous les employés qui reçoivent un crédit de 10 000 € payable à 65 ans (et à 67 ans pour ceux partant à la retraite après 2020). Il reste donc à les compenser en plus pour les dix années supplémentaires, entre 50 et 60 ans, qu'on leur demande d'abandonner. La logique est de leur créditer 20 000 € supplémentaires au moment où la réforme est adoptée et de leur verser cette somme à l'âge de 60 ans (à 65 puis 67 ans, ils seront crédités du même montant que tous les autres salariés).

Pour évaluer le coût, prenons d'abord les deux cas de la SNCF et de la RATP, les plus importants, quantitativement et politiquement. Pour chacun, nous supposons que tous les agents partent aujourd'hui à la retraite à 50 ans (en pratique, cela ne concerne que les roulants, les autres partent à 55 ans, mais, pour faire simple, nous ignorons ce point). Nous devons prendre en compte le fait que le paiement de la compensation de 20 000 € sera échelonné sur de nombreuses années, au fur et à mesure que les agents actuels atteindront l'âge de 60 ans. En moyenne, le coût par agent est de l'ordre de 9 000 € d'aujourd'hui. Appliqué à tous les agents de la SNCF, cela représente 1,6 milliard d'euros, soit 0,1 % du PIB. Pour la RATP, avec les mêmes hypothèses, la compensation se monterait à 380 millions d'euros d'aujourd'hui. Traitant de la même manière les autres régimes spéciaux de retraite, qui pour la plupart ont des âges de départ à la retraite autour de 55 ans, et additionnant le tout, on trouve que le coût de la compensation, telle que nous l'avons définie, s'élève à 3,3 milliards d'euros, soit près de 0,2 % du PIB.

Mais ce n'est pas tout. Aujourd'hui, les régimes spéciaux offrent une pension qui représente un plus large pourcentage du salaire de référence et, de plus, ce dernier n'est pas calculé sur les vingt-cinq meilleures années comme dans le cas du régime général du privé. La situation varie de régime spécial à régime spécial, mais la période de référence est courte, ce qui fait que les augmentations de salaires juste avant la retraite sont fréquentes, histoire de mettre un peu de beurre dans les épinards. Si les régimes spéciaux sont fondus dans le régime général, la perte de revenus est donc substantielle. Quel principe pour compenser la perte de ce privilège supplémentaire ? Jusqu'à leur départ à la retraite, désormais fixé à 65[8] ans, comme tous les autres, les employés qui bénéficient d'un régime spécial de retraite doivent travailler mais ils reçoivent un salaire. Comme tout le monde, ils doivent être dédommagés de l'obligation de travailler ; cela a déjà été pris en compte précédemment. Il reste qu'après 65 ans leurs retraites seront plus faibles qu'auparavant. C'est donc leur situation après 65 ans qui doit faire l'objet de compensation.

Les retraités du régime général reçoivent, en moyenne, une retraite qui représente environ les deux tiers de leurs derniers salaires. Grâce au jeu des hausses en fin de carrière et de la plus courte période de référence, les retraités qui relèvent des régimes spéciaux touchent plus. Admettons qu'ils reçoivent une retraite de l'ordre de 80 % du salaire avant le coup de pouce final. La différence représente 13 % du salaire. C'est cette différence qui est à compenser. Avec un salaire moyen mensuel de l'ordre de 3 000 €, la perte annuelle s'élève à 4 800 €. Sur quelle durée ? À 65 ans, l'espérance de vie moyenne est de l'ordre de vingt ans. Nous proposons donc un paiement unique, pour solde de tout compte,

---

8. Pour la simplicité de l'argument, nous nous limitons ici au cas où les cheminots partiraient à la retraite à 65 ans. Le cas où ils partiraient à 67 ans, dans un temps plus reculé, donne des calculs proches qui ne bouleversent pas nos conclusions et nos chiffres.

versé au moment du départ à la retraite, qui, investi à 4 % sur vingt ans, produira un paiement annuel de 4 800 €, indexé sur le coût de la vie comme toutes les retraites. Pour chaque employé, en supposant que le taux d'inflation est de 2 %, ce capital est de l'ordre de 80 000 €, une très belle somme. Pour l'État, comme le paiement effectif démarrera quinze ans plus tard et s'échelonnera ensuite, le coût en euros d'aujourd'hui est plus faible, de l'ordre de 52 000 €. Compte tenu des effectifs actuels, le coût total pour l'État est 26 milliards d'euros d'aujourd'hui, soit 1,4 % du PIB.

Le prix du sauvetage des retraites par répartition

Pour résumer, ce chapitre propose trois types de compensations.

La première s'applique à tous les employés, quel que soit aujourd'hui leur régime de retraite. Un crédit de 10 000 € est offert en dédommagement de l'allongement de la vie active de 62 à 67 ans, soit 2 000 € par an, qui s'ajoutent bien sûr aux salaires reçus durant ces cinq années de travail supplémentaires. Le coût pour l'État est de 110 milliards d'euros, en valeur d'aujourd'hui, soit 6 % du PIB.

La deuxième s'adresse uniquement aux agents qui bénéficient des régimes spéciaux à qui l'on demande de rejoindre le régime général. En contrepartie de l'abandon du droit à une retraite précoce, un crédit de 2 000 € par année de travail supplémentaire, pour rejoindre le lot général de ceux qui aujourd'hui partent à la retraite à 60 ans, ajoute 3,3 milliards d'euros, soit près de 0,2 % du PIB.

La troisième compensation : parce que le montant des retraites des régimes spéciaux est plus élevé que dans le régime général, une compensation intégrale de la différence représente un coût pour l'État de 26 milliards d'euros, soit 1,4 % du PIB, pour l'ensemble des régimes spéciaux.

Au total, donc, ce chapitre aura ajouté 7,6 % du PIB à la dette de l'État... pour la réduire de 80 % du PIB, par la suppression de la dette implicite des retraites. Certains diront que c'est trop et qu'après avoir reçu cette somme, les différents lobbies vont redemander un abaissement de l'âge de la retraite. Ils pourraient même obtenir gain de cause car il est toujours tentant pour un gouvernement de donner des droits supplémentaires à la retraite, cela ne coûte rien à court terme. Dans ce cas, oui, nos 7,6 % de dette publique seraient un pur gaspillage. Il est impossible d'empêcher de futurs gouvernements de commettre des erreurs. Est-il au moins possible d'éviter que les pressions n'apparaissent trop tôt ?

En ce qui concerne le régime général des retraites, force est de constater qu'à ce jour aucune voix influente ne cherche à remettre en cause les réformes Balladur et Fillon. La situation pourrait être différente pour les régimes spéciaux, surtout ceux de la SNCF, RATP ou EDF-GDF, où le pouvoir de blocage de l'économie est considérable. Pour réduire le risque, on peut envisager que le paiement des compensations soit conditionnel. Une possibilité serait la suivante. Chaque employé des entreprises soumises à un régime spécial se verrait proposer un avenant à son contrat de travail avec, d'une part, une acceptation des conditions de retraite du régime général des salariés, et, d'autre part, le système de compensation que nous avons présenté. Cette offre serait valable pour un temps limité, par exemple six mois. Chaque employé aurait l'entière liberté de signer ou de rester dans le système actuel. Après six mois, l'offre demeurerait sur la table mais avec une compensation qui baisserait régulièrement et de manière prévisible (par exemple 10 % tous les trois mois). Comme tout sera choisi et que rien ne sera imposé, il sera difficile aux syndicats d'appeler à la grève. Il y aura probablement de fortes critiques au début, mais individuellement les employés se diront que leur bastion n'est peut-être pas aussi inexpugnable qu'ils le croyaient. Beaucoup concluront qu'il vaut mieux empocher aujourd'hui les importantes sommes offertes en contrepartie de la réforme que de prendre le risque de se faire imposer par la suite une réforme sans compensation. Le jour où plus de la moitié des employés auront signé le nouveau contrat de travail, le rapport de force en faveur de la réforme aura définitivement basculé.

Notre proposition de réforme sauve complètement et de manière permanente le régime français de retraite par répartition. Elle réduit la dette implicite publique de 80 % du PIB, tout en compensant partiellement les années supplémentaires de labeur. Elle ne fait aucunement appel à la retraite par capitalisation. En 2003, les opposants à la réforme Fillon avançaient qu'elle allait conduire à jouer les retraites au casino de la Bourse. Rien de tout cela ici ; le seul risque qui existait, la faillite des systèmes de retraite, est éliminé.

Chapitre VI

Fonction publique : abolition de la perpétuité

La question lancinante des incitations

S'il est un sujet explosif, c'est bien celui de la fonction publique. Les fonctionnaires sont-ils au service du public ou vivent-ils à son crochet ? Ce vieux débat, qui déchaîne les passions, n'est pas près d'être tranché mais ce n'est pas ce qui nous intéresse ici. À l'évidence, si nous n'avions pas de services au public, il faudrait les inventer. La question est plutôt : quelle est la bonne manière de fournir ces services et, en particulier, d'employer et de rémunérer les personnels ?

Un coup d'œil par la fenêtre indique qu'il n'y a pas une seule réponse optimale à cette question. Chaque pays a son système, qui fonctionne plus ou moins bien. En France, le secteur public a de gros effectifs ; près d'une personne sur cinq y est employée, un des taux les plus élevés au monde. La France est-elle pour cela mieux administrée que l'Allemagne ou la Suisse ? On ne sait pas, pour l'instant, répondre à cette question. Jusqu'à très récemment, c'est un sujet qui n'avait pas été étudié. Un regard au-delà de nos frontières montre qu'il y a, d'un côté, des pays avec des impôts élevés et une fonction publique très efficace et adaptable, qui rend des services de qualité, et, d'un autre côté, des pays où les impôts et les dépenses publiques sont faibles. Le premier groupe comprend les pays d'Europe du Nord et le Canada, le second des pays d'Europe de l'Est et les États-Unis. Ces deux pôles ont chacun leur logique : soit on paie beaucoup de taxes pour des services publics de qualité ; soit on paie peu d'impôts pour des services publics de faible qualité ! Le contre-exemple à éviter est l'Italie avec des impôts à la scandinave et des services publics de faible qualité. Sur la carte de l'efficacité publique, il est probable qu'aujourd'hui la France est à mi-chemin entre l'Italie et la Suède...

Un aspect de la fonction publique à la française, que l'on retrouve dans bien d'autres pays, est le fait que les emplois ne sont pas soumis aux mêmes lois et règles que tous les autres emplois. Le plus spectaculaire est, bien sûr, l'emploi à vie : un fonctionnaire ne peut pas être licencié, sauf à avoir commis des actes répréhensibles. C'est cette garantie d'emploi qui rend la fonction publique si attrayante, surtout en ces temps de chômage élevé où la hantise de ceux qui ne sont pas fonctionnaires est de perdre leur travail. L'emploi à vie est un avantage considérable, inaccessible à 80 % de Français qui travaillent. En ce sens, c'est donc une rente.

Cette rente a sa justification. Les fonctionnaires sont censés incarner l'État. Ils se doivent donc d'être d'une intégrité irréprochable et de se consacrer à l'intérêt général. Ils doivent aussi remplir leur mission sans interférence politique. L'emploi à vie est la manière d'assurer la continuité de l'État et l'indépendance de ses serviteurs. C'est un argument qui a son poids. Mais la grande vague de réformes du service public que l'on observe, à des degrés divers, dans tous les pays développés est en partie motivée par l'idée que cette justification a beaucoup perdu de son actualité. De plus en plus de pays, parmi ceux qui avaient adopté l'emploi à vie, l'ont soit abandonné, soit limité à des positions sensibles, les juges par exemple, ou certains services centraux de décision. Des pays comme la Suède ou le Canada ont même remis en cause l'idée que tout ce qui est service public doit être fourni par le secteur public.

Historiquement, des salaires moins attrayants et des conditions de travail plus difficiles ont également justifié l'emploi à vie, une sorte de donnant-donnant qui reconnaissait les moyens limités de l'État et l'éthique particulière de fonctionnaires voués au bien public et non à la recherche du profit. Aujourd'hui, les salaires des fonctionnaires – sauf peut-être au sommet de la haute fonction publique – n'ont rien à envier à ceux du secteur privé. Il en va de même des conditions de travail. Quant à l'indépendance à l'égard du politique, elle ne semble pas menacée dans la plupart des activités comme l'éducation, la santé ou bien pour tous les services de mise en œuvre de politiques décidées ailleurs (douanes, impôts, Trésor public, transports, agriculture, emploi).

Là où la question se pose, il est tout à fait possible de garantir l'indépendance des serviteurs de l'État par d'autres mesures, au moins aussi efficaces, que l'emploi à vie.

L'emploi à vie ne serait pas un sujet de réforme s'il n'avait que des avantages. Or, deux inconvénients apparaissent. Le premier concerne l'inévitable besoin de motiver les employés à travailler au mieux. Dans le secteur privé, les promotions au mérite sont une des incitations utilisées. Ce n'est généralement pas le cas dans le secteur public. Nous ne traitons pas ici de ce thème. Une autre incitation puissante existe dans le secteur privé : les employés savent qu'une entreprise peu performante est condamnée à disparaître, et avec elle les emplois. La mort de l'entreprise est la sanction ultime dont chaque employé est bien conscient. S'il ne l'est pas, tout dans l'entreprise est fait pour le lui rappeler, y compris la menace de licenciement. Certains voient dans cette menace un chantage exercé par les patrons. Certes, le chantage existe mais la plupart des patrons savent qu'une entreprise qui repose sur le chantage vis-à-vis du personnel ne dure pas éternellement. Dans la grande majorité des entreprises, le licenciement est la solution de dernier recours. Elle sert avant tout à éviter la situation où tous choisiraient le moindre effort, ce qui de toute façon amènerait l'entreprise à sa perte.

Dans le service public, il ne peut pas y avoir de faillite et le licenciement est exclu. Que reste-t-il alors comme méthode pour que tous donnent le meilleur d'eux-mêmes ? Une solution serait de récompenser l'effort, soit par un meilleur salaire, soit par une promotion plus rapide. Mais, là encore, le service public est déficient. Très officiellement, augmentations de salaires et promotions se font uniquement à l'ancienneté, avec de rares exceptions. Dans ces conditions, il est difficile d'imaginer comment et pourquoi l'effort au travail serait la norme. Il y a, bien sûr, des fonctionnaires zélés et des services publics performants mais ce n'est pas universel.

Comme tout être humain, les fonctionnaires répondent aux incitations. Quelles sont donc les incitations restantes ? Sans la carotte de la promotion et sans le bâton du risque de licenciement, la seule chose que puisse faire une hiérarchie souhaitant promouvoir l'effort, c'est la pression directe sur chaque employé. Et la meilleure manière d'y arriver, c'est que chaque chef régente celui qui est en dessous, du haut en bas de la hiérarchie. C'est comme cela que se créent des services où l'ambiance au travail est détestable. Et une mauvaise ambiance garantit une mauvaise performance. Pire, elle engendre le ressentiment des employés.

Le second inconvénient des emplois à vie est la difficulté d'adapter l'administration face aux mutations. Le progrès technique, l'évolution des mœurs et des goûts, la transformation de la société, tout cela demande que les services publics évoluent sans cesse. Certains services perdent leur raison d'être, d'autres disparaissent ; Internet a largement rendu caducs ou transformé nombre de services (ainsi au Trésor public, avec la possibilité de percevoir les impôts ou de suivre la comptabilité des collectivités locales à distance). Dans le secteur privé, la solution est de se reconvertir au plus vite, pour éviter le licenciement. La reconversion est souvent pénible, mais elle est perçue comme inévitable.

Et dans le secteur public ? Les rapports annuels de la Cour des comptes se lisent comme du Courteline. On n'a pas oublié les deux systèmes informatiques du ministère des Finances, l'un pour la saisie des déclarations d'impôts, l'autre pour le calcul des impôts. Alors qu'il était ministre des Finances de Lionel Jospin, Christian Sautter a voulu fusionner ces deux systèmes informatiques qui se dupliquaient l'un l'autre. Face à la fronde des syndicats, il a dû faire marche arrière puis démissionner. Manifestement, personne au gouvernement n'a jugé utile de le soutenir ; trop dangereux sans doute. On peut multiplier les exemples. Ci-dessous est décrit le cas, particulier mais spectaculaire, de la Banque de France. La Cour des comptes a aussi observé qu'environ 4 % des enseignants des premier et second degrés n'enseignent pas, soit parce qu'ils sont « incapables d'enseigner » selon la nomenclature officielle, soit parce que leur discipline n'intéresse plus les élèves. Ils continuent d'être rémunérés par l'Éducation nationale, pour un coût de 1,5 milliard d'euros par an selon la Cour des comptes.

Ça banque à la Banque de France

La Banque de France est un excellent exemple des contraintes imposées par l'emploi à vie lorsque les conditions changent. La Banque a dû faire face à deux mutations : une mutation technologique, pour tout ce qui concerne la fabrication et le traitement des billets, et une mutation institutionnelle lorsque la France a adopté l'euro. Avec 12 600 employés, contre environ 3 000 à la Banque centrale d'Espagne, ses effectifs reflètent d'autres temps. Les raisons sont clairement exprimées dans le rapport que lui a consacré en 2005 la Cour des comptes :

« La Banque de France ne s'est adaptée que progressivement à l'évolution de son contexte d'activité. Elle a été contrainte de faire des investissements très capitalistiques dans la fabrication des billets pour surmonter son handicap de coût de main-d'œuvre. Elle a, *a contrario*, renoncé à acquérir des matériels de tri de billets de très forte capacité (120 000 paquets par an) en raison du nombre de très petites succursales et disposait, en 1999, du parc de machines de tri le moins rapide de toute l'Union (9 277 billets/heure contre 108 000 à la Banque d'Angleterre et 14 124 à la Bundesbank). [...] Les progrès de la numérisation des données, les possibilités de transmission et de centralisation des informations, les avancées de la mécanisation du tri et de la fabrication des billets ont progressivement rendu obsolète le modèle industriel de la Banque. [...]

« Les rigidités statutaires réduisent la marge de manœuvre de la direction générale dans l'affectation des ressources humaines. Cette marge est quasi nulle pour les agents non cadres qui bénéficient d'un droit statutaire au maintien sur place, les seules mesures envisageables étant lourdes et coûteuses (plans sociaux, départs à la retraite). [...] La Banque s'organise encore à bien des égards en fonction de ses effectifs disponibles. On a vu que son souci de trouver à employer ses effectifs la conduit à accepter de fournir des prestations à l'État ou à des tiers en travaillant à perte. Mais elle assume aussi des missions pour lesquelles elle n'a guère de légitimité[*]. »

Autrement dit, incapable de licencier pour s'adapter, la Banque de France s'invente des missions sur lesquelles elle fait des pertes.

Monopole = rente

Soyons clairs. Il ne s'agit pas ici de dresser un procès aussi sommaire qu'injuste de la fonction publique. La France est assez bien administrée et ses fonctionnaires, pris individuellement, sont en grande majorité des personnes aussi compétentes et attachées à leur mission que leurs collègues du secteur privé. Collectivement, c'est une autre affaire, pour deux raisons principales. Tout d'abord, il manque au secteur public l'instrument de discipline que représente la concurrence. Les entreprises qui sont mal gérées disparaissent, pas le service public. Ensuite, les employés du secteur privé ne peuvent pas « sous-performer », individuellement et collectivement, sous peine de faillite. Le service public, lui, est un monopole dont la survie est assurée. On n'a jamais vu un monopole qui ne s'approprie pas une rente.

Au bout du compte, la France est probablement bien administrée, mais son service public coûte cher, plus cher qu'il ne devrait. C'est bien pour cela que se multiplient depuis quelque temps des plans de modernisation. Si des résultats sont atteints ici et là, il serait présomptueux d'affirmer qu'ils sont spectaculaires. Ce n'est

---

* Cour des comptes, la Banque de France, mars 2005.

pas par hasard si ces plans mettent de plus en plus l'accent sur la gestion des ressources humaines, donc sur une meilleure utilisation des talents. Mais les montagnes de rapports qui s'accumulent dans chaque ministère concluent immanquablement que l'obstacle principal à la réforme du service public est la « condition statutaire » des personnels. En clair, l'emploi à vie et l'avancement à l'ancienneté.

La plupart des tentatives de réforme de la fonction publique se heurtent à une vive hostilité des syndicats. Le mot d'ordre de défense du service public résonne bien et suscite presque automatiquement la sympathie du public. Mais défendent-ils le service public ou l'intérêt particulier des fonctionnaires ? Nul n'est dupe, bien sûr, mais l'attachement des Français à leurs fonctionnaires tient en partie au fait que 82 % des Français sont prêts à encourager leurs enfants à devenir fonctionnaires (sondage Ipsos pour *La Gazette des communes* et *Le Monde* du 7 mars 2006). Interrogés sur cette question, 75 % des jeunes se déclarent effectivement intéressés, la motivation première pour 59 % d'entre eux étant la garantie de l'emploi (sondage Ipsos pour *La Gazette des communes* et *Le Monde* du 1er juin 2006).

Tout cela signifie qu'il faut repenser le statut des fonctionnaires, mais que tout projet va se heurter à une solide hostilité de leurs syndicats. Un gouvernement peut essayer de passer en force, mais les chances de succès sont minces. Entre l'immobilisme du *statu quo* et le conflit ouvert, le choix est détestable. La méthode de la compensation représente-t-elle une alternative ? C'est une question de méthode et de coût, mais pas seulement.

Abolition consentie

Commençons par la méthode. Ne serait-ce que pour l'illustrer, supposons que la réforme consiste à abolir l'emploi à vie dans la fonction publique. Désormais, les fonctionnaires auraient chacun un contrat identique à ceux du secteur privé. Aujourd'hui, ces contrats stables sont des CDI – nous proposons de les changer dans le chapitre sur l'assurance-chômage, mais c'est une autre affaire, ne mélangeons pas tout. Pour les employés du secteur privé, le CDI est très prisé ; pour les fonctionnaires, c'est clairement moins bien. Il s'agit donc de leur offrir une compensation.

Comment estimer la valeur de la garantie que procure l'emploi à vie ? Pour faire simple, même si ce n'est pas tout à fait précis, on peut aborder la question en comparant la situation d'un fonctionnaire à celle d'un employé en CDI dans le secteur privé. La grande différence, c'est qu'un employé en CDI peut, de temps à autre, être licencié et se retrouver au chômage. Le préjudice, qu'il s'agit de compenser, est en partie financier, en partie moral et psychologique. Commençons par le préjudice financier.

Être au chômage implique de perdre son salaire, mais aussi de recevoir des allocations de chômage. En moyenne, ces allocations couvrent environ les deux tiers du salaire net ; en cas de chômage, donc, un employé du secteur privé subit une perte financière qui représente un tiers de son salaire. En 2005, derniers chiffres connus, la durée moyenne du chômage, qui varie beaucoup suivant l'âge, était de l'ordre de dix mois. En prenant comme base le salaire mensuel net moyen d'un fonctionnaire qui est d'environ 2 000 €, le coût subi lors d'une période de chômage de dix mois est de 6 700 €, le tiers de 20 000 €, dix mois de salaire. Cette somme représente la perte subie par le « fonctionnaire moyen » qui accepterait d'abandonner l'emploi à vie et qui serait licencié et resterait au chômage pendant dix mois. Les parcours individuels seront bien sûr différents mais, pour évaluer la valeur du préjudice subi, il est normal de prendre ce qui est le plus probable car c'est ce qui arrive en moyenne (c'est ainsi que les compagnies d'assurances calculent les primes qu'elles demandent à leurs clients).

Mais quel serait le risque d'être effectivement licencié ? En 2005, la proportion des employés en CDI qui ont été licenciés a été de 2,7 %. Cela donne une idée de l'avantage de l'emploi garanti (pour les CDD, le taux est dix fois supérieur, mais on va considérer que ce seraient des CDI qui viendraient remplacer le statut de fonctionnaire titulaire). Ceci signifie qu'un « employé moyen » en CDI a, chaque année, une probabilité de 2,7 % d'être licencié et de perdre 6 700 €. Une probabilité de licenciement de 2,7 % par an implique un passage par la case chômage une fois tous les trente-sept ans, en gros une fois dans une carrière normale. Autrement dit, un employé en CDI qui gagne 2 000 € par mois devrait connaître une fois un épisode de dix mois de chômage et subir un préjudice financier de 6 700 €. En moyenne, donc, sur toute une carrière, il va perdre l'équivalent de 180 € par an (2,7 % de 6 700 €). C'est étonnamment peu. Pourquoi ? Parce que très peu d'employés en CDI perdent leur emploi.

Supposons, pour l'instant, qu'il en ira de même pour les fonctionnaires une fois qu'ils auront perdu l'emploi à vie et seront en CDI. Nous remettons en cause cette hypothèse un peu plus loin. À ce stade se pose la question de ce que pourrait être une forme équitable de compensation pour un risque moyen de 180 € par an. Une première réponse est : 180 € par an pour chacun, jusqu'à l'âge de la retraite. C'est la base du principe que nous proposons.

Quelle forme prendra la compensation ? Chaque fonctionnaire se verra proposer, au moment de la réforme, un versement unique, pour solde de tout compte, s'il accepte de renoncer à son statut. Le montant du versement sera calculé pour chacun de manière à ce qu'une fois investi il rapporte, chaque année jusqu'à l'âge de la retraite, une somme calculée comme ci-dessus en fonction de son salaire. Pour un fonctionnaire de 30 ans, dont le salaire se situe à la moyenne de 2 000 €, c'est donc un montant qui rapporte 180 € par an pendant trente ans, en supposant que l'âge du départ à la retraite soit de 60 ans (sauf réforme – un sujet que nous traitons, et proposons de compenser séparément, au chapitre suivant). Cette somme est cependant indexée sur le coût de la vie – sur la base d'un taux d'inflation de 2 % – et sur la croissance de l'économie – 2 % par an hors inflation. On suppose également que le taux d'intérêt servi sur l'investissement est de 4 %. La somme dépend donc de l'âge de chaque agent. Par exemple, pour un agent de 30 ans, qui prendrait sa retraite à 60 ans, la somme est de 5 400 €. On peut maintenant évaluer le coût pour l'État de ce mécanisme lorsqu'il est appliqué aux 5 millions de fonctionnaires. Étant donné la pyramide des âges, on arrive à la somme de 16 milliards d'euros, soit 0,9 % du PIB.

Compenser tous les désagréments

Est-il plausible que les fonctionnaires acceptent cette offre ? Abandonner l'emploi à vie pour 180 € par an jusqu'à la retraite, même indexé, n'est manifestement pas très convaincant. Deux éléments devraient pousser ce chiffre à la hausse.

Premièrement, on ne peut pas comparer si facilement l'emploi dans le secteur privé et celui dans le secteur public. Dans le secteur privé, les sureffectifs ont été résorbés depuis longtemps ; les salariés y craignent les mauvaises performances de leur entreprise, mais pas les ajustements massifs du type plan sidérurgie des années 1980. Au sein de l'État, il existe quelques secteurs en sous-effectifs (les infirmières, par exemple), mais, dans la plupart des autres, les agents craignent (à tort ou à raison) des ajustements d'effectifs à la baisse. Supposons, hypothèse forte, que les gouvernements à venir décident de réduire de 500 000 sur dix ans (soit 10 % des effectifs actuels) le nombre de fonctionnaires (hors départ à la retraite). En gros, cela signifie une réduction d'effectifs de 1 % par an, par licenciement. Cela signifie que, pour chacune des dix premières années, la probabilité pour un agent de l'État d'être au chômage passerait de 2,7 % à 3,7 % ; au-delà de dix ans, rien ne changerait par rapport au scénario précédent. Avec ces nouveaux paramètres, la compensation globale à verser à notre fonctionnaire âgé de 30 ans est d'environ 6 000 €, pour un coût total de 18,9 milliards, soit 1 % du PIB de 2007.

Deuxièmement, on peut penser que les gens qui ont opté pour des carrières dans la fonction publique l'ont fait, en partie au moins, parce qu'ils sont plus anxieux et plus averses que les autres face au risque de licenciement. Faut-il, dans ces conditions, leur offrir une compensation supplémentaire qui inclurait le « prix du risque » ? On peut noter que, bien sûr, de nombreuses personnes salariées dans le privé sont également anxieuses et auraient bien voulu être fonctionnaires mais, hasard de la vie ou malchance, n'y sont pas parvenues. Il semblerait donc injuste que les fonctionnaires, qui ont déjà eu la chance d'accéder à ce statut protégé, soient en plus dédommagés quand ils perdent cette protection et retrouvent le lot commun.

À cet argument d'équité, on peut objecter deux autres arguments. Le premier est que l'emploi à vie était, jusqu'à la réforme, une pratique parfaitement acceptée et considérée comme telle par les fonctionnaires. C'est déjà cet argument qui justifie le principe même de la compensation des fonctionnaires. Il faut alors aller au bout de la logique et admettre que, lorsque l'État change unilatéralement les règles, il doit compenser tous les désagréments qu'il crée, financiers et non financiers. Le deuxième argument a déjà été évoqué, il est de nature politique. Une réforme du statut de la fonction publique massivement rejetée par les fonctionnaires a très peu de chances de passer. De manière purement pragmatique, si on veut cette réforme, il faut s'en donner les moyens.

Le prix du risque est bien difficile à évaluer, y compris les aspects psychologiques de se retrouver au chômage. En pratique, tout cela devra se négocier pour arriver à cerner le niveau de compensation qui saura convaincre une large majorité des fonctionnaires. À ce stade de notre raisonnement, nous ne pouvons que faire une hypothèse qui ne soit pas trop irréaliste, juste pour arriver au bout de l'évaluation du coût de la réforme. Admettons donc qu'un doublement du coût sans prime de risque soit considéré comme suffisamment généreux par les fonctionnaires tout en restant politiquement raisonnable aux yeux des contribuables et de l'opinion publique. Dans ce cas, l'offre faite à notre fonctionnaire de 30 ans est de 12 100 €, pour un coût total de 37,7 milliards d'euros, soit 2,1 % du PIB.

Il reste cependant une question que nous n'avons pas encore abordée. Comme le licenciement n'existe pas dans la fonction publique, il n'y a pas non plus de conditions de licenciement, c'est évident. La manière de faire est, tout naturellement, d'adopter le statut du secteur privé puisque c'est l'objet même de la réforme. Dans le secteur privé, la prime de licenciement de base pour cause économique est d'un tiers de mois de salaire par année d'ancienneté pour ceux qui ont une ancienneté de plus de dix ans. En pratique, de nombreuses conventions sont plus généreuses. Pour simplifier, et nous prémunir d'une sous-évaluation du coût, admettons que la prime de licenciement soit d'un mois de salaire par année d'ancienneté.

Combien de licenciements seront-ils nécessaires au départ ? Nous avons déjà mentionné une possible réduction de 10 % des effectifs, mais pas le remplacement de certains agents par d'autres à effectifs constants. Or l'objet de la réforme est de se donner les moyens d'améliorer le service public. Si nous proposons de changer le statut des fonctionnaires, c'est en raison de l'effet délétère de l'emploi garanti sur l'effort au travail et sur les adaptations du service public à l'évolution des technologies, des besoins et des missions. Certains services doivent se développer et acquérir des compétences plus pointues. D'autres doivent être réduits, voire supprimés. Cela va nécessiter des transferts entre administrations : les sureffectifs du ministère des Finances (suite à l'informatisation), du ministère des Transports (suite à la décentralisation) ou du ministère de l'Agriculture (suite à la réforme de la PAC) pourraient aller dans les administrations des universités ou des hôpitaux, notoirement en sous-effectif.

Cela signifie que la situation va être très différente d'un service à l'autre. Aucun licenciement dans les hôpitaux, beaucoup à Bercy, sans doute. Une telle évaluation n'a bien sûr jamais été faite, puisque la question ne se pose pas en pratique et donc tout chiffre ne peut qu'être approximatif. Assumant ce risque, nous prenons comme hypothèse qu'environ 10 % des agents actuels seront licenciés pour être remplacés par d'autres personnes à recruter à leur place pour remplir des fonctions qui ne peuvent pas être prises en charge par des fonctionnaires en place. Ces licenciements s'ajouteraient aux 10 % de réductions d'effectifs déjà prévus. Nous n'avons pas de moyen de dire si cette hypothèse est réaliste, pessimiste ou optimiste. Sur cette base, avec une ancienneté moyenne de vingt ans, l'indemnité moyenne de vingt mois de salaire de 40 000 € par personne versée à 20 % des 5 millions de fonctionnaires représente un coût total de 40 milliards d'euros, soit 2,2 % du PIB.

D'un autre côté, une réduction de 10 % des effectifs permettra à l'État de faire des économies de personnel, qui devraient venir en déduction du coût de la réforme. Nous ne procédons pas à cette soustraction pour trois raisons. D'abord parce que les économies arriveront peu à peu au fil du temps, et donc le soulagement pour le budget de l'État sera progressif. Ensuite parce que nous pensons que ces économies pourraient être utilement réaffectées à améliorer les conditions de travail et à attirer dans le secteur public des compétences à aller chercher dans le secteur privé. Finalement, nous devrions aussi prendre en compte les allocations chômage qui seront versées aux fonctionnaires licenciés le temps qu'ils retrouvent un emploi. Nous supposons que ces différentes dépenses compensent à peu près l'économie réalisée. Cela ne signifie pas que nous proposons de mettre des milliers de fonctionnaires au chômage sans même réaliser des économies. L'idée n'est pas bien sûr de licencier des gens pour la douteuse beauté du geste ! Ni de vouloir faire des économies. Il s'agit, au contraire, de donner à la fonction publique les moyens de se réorganiser pour être la plus efficace possible, pour offrir les meilleurs services possibles aux citoyens et d'excellentes conditions de travail à ses agents.

Au total, donc, le coût total de la compensation

s'élève à 2,1 % du PIB pour le changement de statut des fonctionnaires et à 2,2 % du PIB pour le licenciement de 20 % des effectifs actuels (dont 10 % sont remplacés), ce qui représente un coût total d'environ 4,2 % du PIB (il y a des arrondis !), soit près de 78 milliards d'euros.

Des contrats individuels : la France parle à ses fonctionnaires

En pratique, chaque agent du secteur public recevrait une offre écrite qui spécifierait la compensation correspondant à sa situation (niveau de salaire, primes et nombre d'années jusqu'à la retraite) ainsi qu'un nouveau contrat du type CDI. Le contrat prévoirait une indemnité de licenciement d'un mois par année d'ancienneté. En signant cette proposition et le contrat, la personne accepterait le nouveau statut et recevrait *ipso facto* la compensation. Personne ne serait forcé de signer. Les agents qui choisiraient de rejeter la proposition continueraient à bénéficier du statut de fonctionnaire.

Toute la question est de savoir si ce genre d'offre est susceptible d'obtenir une large adhésion des fonctionnaires. Leur attachement à l'emploi garanti est compréhensible, surtout étant donné le chômage élevé. Mais la valeur de cette garantie est finalement assez faible par rapport aux CDI, tout bonnement parce que le risque de perdre un emploi lorsque l'on est en CDI est limité. La somme offerte – de l'ordre de 12 000 € pour une personne de 30 ans qui touche un salaire moyen net de 2 000 € par mois – est donc attractive.

En plus de la compensation, bien des fonctionnaires

devraient être tentés par une réforme dont l'objectif est d'améliorer la performance du service public et leurs propres conditions de travail. Contrairement à l'image courtelinesque de ronds-de-cuir cyniques, nombreux sont les fonctionnaires qui sont conscients des difficultés que rencontre le service public à travailler de manière efficace et dynamique, et beaucoup le déplorent. Ainsi, 40 % des fonctionnaires considèrent que l'État et le secteur public sont plutôt un handicap pour le développement économique du pays, et ceux qui ont moins de trois ans d'ancienneté sont 51 % à le penser (sondage Sofres du 25 avril 2006). Ce n'est donc pas seulement la somme d'argent offerte qui devrait les convaincre, mais leur attachement au service public ; pour la première fois, ils auraient de bonnes raisons d'entrevoir une profonde mutation de leurs services, comme l'ont fait le Canada et la Suède, on verra comment plus loin.

Bien sûr, les organisations syndicales refuseront toute réforme qui sera immédiatement décrite comme une atteinte au service public. On les comprend. Une telle réforme serait en effet particulièrement dangereuse pour elles. Depuis une vingtaine d'années, le recul de la syndicalisation est spectaculaire. Là où elle se maintient le mieux, c'est dans le secteur public où le taux de syndicalisation est de 15 %, contre 5 % dans le secteur privé. Manifestement, les syndicats ne peuvent pas accepter facilement une transformation du statut de la fonction publique, il en va de leur survie, en tout cas dans leur pratique actuelle. Leur attitude est aisément prévisible : ils engageront toutes leurs forces dans la bataille, et le secteur public est l'endroit où ils sont le plus puissants.

La procédure de dédommagement individuel permet de contourner les syndicats. Si une large majorité des fonctionnaires signe le contrat qui leur est proposé, les syndicats ne pourront pas se présenter comme leurs défenseurs. Certes, un nombre non négligeable de fonctionnaires refuseront de signer pour des raisons idéologiques et ils fourniront des bataillons déterminés. Mais s'ils sont une minorité, même bruyante et agissante, ils n'auront pas une forte légitimité. D'ordinaire, les syndicats gagnent la bataille de l'opinion publique lorsqu'ils mènent des combats auxquels l'opinion peut s'identifier. Ici, comme il n'y aura aucune contrainte, juste un libre choix, les syndicats pourraient rencontrer un écho défavorable dans l'opinion. Car c'est sur le front de l'opinion publique que se jouera le succès ou l'échec de la réforme. Que devrait-elle en penser ?

D'un point de vue froidement rationnel, l'opinion publique devrait réaliser que cette réforme est une excellente affaire pour l'intérêt collectif. Pour un coût acceptable, la société se donnerait enfin les moyens de redynamiser et de remotiver son secteur public. Une Éducation nationale plus performante, par exemple, peut profondément affecter la vie des familles, l'avenir des enfants, et contribuer à réduire les inégalités qui minent la société. L'impact essentiel de notre proposition de réforme ne serait pas de licencier dans la fonction publique : étant donné les besoins collectifs en éducation, santé, sécurité, etc., les baisses d'effectifs seront modérées (il n'y aura pas de « dégraissage » important du « mammouth »). Là où l'impact sera probablement très important, c'est sur la productivité des services publics : des fonctionnaires occupés aujourd'hui à des tâches peu utiles, ou tombées en désuétude, seront réalloués là où ils font défaut et peuvent être beaucoup plus utiles à la collectivité. De plus, pour tous les fonctionnaires passés en CDI, la productivité du travail serait probablement bien supérieure, car il y aurait de la concurrence, de l'émulation et de bonnes incitations. Ce serait, en fait, tout le contraire du démantèlement des services publics annoncé par les opposants à toute réforme de l'État.

L'opinion publique devrait-elle s'inquiéter d'une critique prévisible sur le risque de perte d'indépendance et d'objectivité des fonctionnaires ? Les syndicats avertiront qu'avec un CDI et la crainte du licenciement, les agents publics ne serviront plus l'intérêt général car ils seront soumis à des pressions diverses, y compris politiques. On pourrait leur objecter que c'est déjà le cas ou que certains fonctionnaires se préoccupent plus de leurs intérêts particuliers que de l'intérêt général. Ce ne sera pas notre réponse.

Notre réponse est beaucoup plus simple et consensuelle : regardons vers les pays qui ont réussi à bien réformer leurs administrations, en particulier le Canada, la Suède ou la Grande-Bretagne. Dans ces pays, les services publics fonctionnent mieux qu'avant – y compris dans la Grande-Bretagne de Tony Blair, qui a dû gérer l'après-coup des réformes à la hache menées par Maggy Thatcher et ses successeurs conservateurs – et coûtent en général moins cher. Comment s'y sont-ils donc pris pour améliorer leurs services publics ? Ils ont redécoupé leurs administrations par ce que l'on pourrait appeler la procédure d'« agencification ». Ils ont créé des agences qui correspondent à nos directions d'administration. Pour chaque grande politique publique, un contrat explicite d'objectifs – ce qu'il faut faire – et de moyens budgétaires – à quel coût – est passé entre le gouvernement et une agence.

Chaque agence, notons-le, est indépendante ; elle s'organise comme elle veut pour remplir sa mission. Munie d'une lettre de mission – qui est aussi un contrat transparent avec les citoyens –, chaque agence embauche, licencie et fixe les salaires. Pour s'assurer que l'agence poursuit bien sa mission de service public, sa direction est flanquée d'un conseil d'administration qui supervise et contrôle la bonne marche du travail (tout comme dans une entreprise privée). L'agence est soumise à la transparence (notamment via Internet ou via des auditions de sa direction devant le Parlement) et est évaluée périodiquement par des instances de contrôle, comme notre Cour des comptes. En revanche, les administrations centrales, qui définissent auprès des ministres les politiques publiques, écrivent les lois et négocient pour le compte du gouvernement, sont demeurées sous le statut de la fonction publique. Mais on parle ici de très petits effectifs ; le ministère de l'Économie et des Finances compte 300 fonctionnaires en Suède contre... 170 000 en France !

Ces exemples étrangers ne sont pas nécessairement à imiter tels quels. Nous les évoquons pour montrer qu'il est possible d'innover en matière d'organisation du service public. Dans ces pays et d'autres de plus en plus nombreux, on assiste à un véritable ferment de créativité dans l'administration. Il ne s'agit pas uniquement d'adopter des approches qui ont fait leurs preuves dans le secteur privé. Il arrive même que des idées apparues dans le secteur public soient ensuite adoptées par le secteur privé. Tout devient possible à partir du moment où l'on sort du carcan du statut de la fonction publique. À l'arrivée, non seulement la performance – qualité et coût – du service public s'améliore, mais les agents eux-mêmes travaillent dans des conditions autrement motivantes. Ils acquièrent des compétences qu'ils peuvent valoriser ensuite, s'ils le souhaitent, dans le secteur privé. Tout le monde s'y retrouve : le public, les fonctionnaires et le budget de l'État.

Chapitre VII

Universités et recherche : renaissance des Lumières

France, ton Université fout le camp

Pendant longtemps, la France a vécu sur l'héritage de ses grands hommes des sciences et des arts qui ont fait sa gloire jusqu'au milieu du XXe siècle. Depuis, elle croit au mythe de la perpétuation de sa renommée intellectuelle et scientifique : quelques prix Nobel de-ci, de-là ont donné l'illusion que nos universités et nos centres de recherche restaient à la pointe. La vérité est tout autre. Dans presque toutes les disciplines, la recherche mondiale est dominée par les Anglo-Saxons, qui raflent la plupart des prix Nobel.

L'autre mythe est que des études universitaires permettent de trouver de bons emplois. Paniqués à l'idée de se retrouver au chômage, les bacheliers se précipitent toujours plus nombreux dans les universités. Non seulement la moitié d'entre eux ne franchissent pas le cap de la première année, mais même ceux qui terminent avec une licence ne tirent guère, sur le marché du travail, de bénéfices de leurs trois années d'études. Il faut encore deux années supplémentaires pour que les études commencent à payer.

Le troisième mythe est que les universités françaises sont... des universités. Le principe qui leur a donné son nom, l'universalisme des disciplines, n'existe pas en France où les établissements universitaires sont définis par les quelques rares disciplines que chacun enseigne. L'autre grand principe, celui de rassembler recherche et enseignement, est officiellement affirmé mais, on le verra, n'est qu'exceptionnellement pratiqué. Les universités françaises sont aux antipodes de leurs consœurs qui offrent aux étudiants une éducation ouverte et qui encouragent la curiosité.

Mission tronquée, ambitions déçues, les universités françaises ne peuvent prétendre détenir la bonne formule, envers et contre tout ce qui se fait ailleurs sur la planète. Longtemps, ce provincialisme est resté un secret bien gardé, du moins pour ceux qui ne sont pas allés voir ce qui se passe ailleurs. Récemment, les masques sont tombés avec la mode des classements mondiaux des meilleures universités. Ces classements sont loin d'être rigoureux, étant fondés sur des données plus ou moins précises et éclairantes, qui sont ensuite passées à la moulinette pour sortir un score unique censé établir la qualité d'un établissement. Totalement arbitraire. Mais la multiplication des classements a permis de multiplier les arbitraires. Un jugement arbitraire n'est pas fiable, deux non plus, ni trois. Mais quand il y en a beaucoup, et que tous disent que la France scientifique est à la traîne, on n'est plus dans le domaine des suppositions, on se rapproche de l'évidence.

Ainsi, dans le célèbre classement des universités scientifiques mondiales produit par l'université Jia Tong de Shanghai, l'université française la mieux classée (Paris-6) arrive à la 45e place mondiale, suivie de Paris-11 à la 64e place et de Strasbourg-1 à la 96e place. Le seul autre établissement qui se classe dans le top 100, à la 99e place, est l'Olympe de l'intelligence française, l'École normale supérieure. Et l'École Polytechnique ? 207e place. Juste après l'université Dalhousie de Nouvelle-Écosse au Canada. D'accord, c'est injuste, cela ignore que nos grandes écoles ne sont pas comparables aux universités classiques. En effet, le *Times Higher Education*, une revue britannique spécialisée, accorde la 10e place à Polytechnique et la 30e à Normale Sup. Ce classement donne un poids important aux opinions des employeurs, qui sont évidemment impressionnés par la qualité des élèves triés sur le volet. Derrière, c'est la bérézina. Même des grandes écoles comme Centrale, les Mines de Paris ou les Ponts ne passent pas la barrière de la concurrence et de la comparaison internationales. Bref, cela fait mal de se regarder dans ce miroir, même s'il est un peu déformant.

Une fois le diagnostic posé, il faut aller chercher des explications. Est-ce une question d'argent ? Les États-Unis, qui laminent la concurrence dans tous les classements, consacrent 2,8 % de leur PIB à l'enseignement supérieur (public et privé confondus), la France y consacre 1,3 % (en quasi-totalité public). La France arriverait-elle au top en doublant les dépenses ? Sûrement pas, parce que ce n'est pas qu'une question de moyens, mais aussi de gouvernance, d'incitation et de sélection. D'ailleurs, la France dépense à peine moins que la moyenne des pays développés, certainement pas plus que l'Angleterre, qui est la seule à rivaliser dans les classements mondiaux avec les États-Unis. L'argent n'est vraiment pas le nerf de la guerre, en tout cas pas une condition préalable pour faire beaucoup mieux. Pire, déverser plus de moyens sur les universités ne servira pas à grand-chose, le mal est trop profond.

Le problème commence avec la manière dont on définit qui fait quoi en matière d'enseignement supérieur et de recherche. En France, on a d'une part les universités et les grandes écoles qui assurent l'enseignement et qui ont presque toutes de grandes ambitions en matière de recherche, d'autre part le CNRS et une kyrielle d'autres centres spécialisés, censés assurer la recherche sans enseigner. Aux États-Unis, qui ont les meilleures universités et la meilleure recherche au monde, l'organisation est plus subtile. Il y a bien quelques centres de recherche spécialisés, mais l'essentiel de la recherche se fait dans les universités. Mais, attention, la recherche aux États-Unis est concentrée dans un petit nombre d'universités, l'élite. Dans ces universités, les meilleurs chercheurs ne consacrent à l'enseignement qu'une toute petite partie de leur temps. Ce faisant, ils offrent à leurs étudiants, triés sur le volet, une fenêtre sur la recherche de pointe, et forment à la recherche les meilleurs de ces meilleurs étudiants. Pour préparer les futurs prix Nobel, il est vital de combiner recherche et enseignement au contact de chercheurs de haut niveau. En s'imbibant dans le monde de la recherche, ces étudiants n'acquièrent pas seulement les dernières connaissances, qui de toute façon diffusent très rapidement, mais surtout ils apprennent à vivre dans une atmosphère très spéciale et ils observent comment travaillent les chercheurs de pointe. Pour tous les autres étudiants, ceux qui n'ont aucune intention de faire de la recherche, la responsabilité de la majorité des universités est de leur offrir une éducation générale de qualité. Les enseignants y sont choisis, non pas pour faire de la recherche, mais pour leurs compétences pédagogiques. Ils suivent de près l'évolution de leurs domaines et se consacrent à leur métier.

Ainsi, en Californie, les universités d'élite publiques (University of California, dont Berkeley ou UCLA) éduquent 230 000 étudiants, beaucoup plus que nos grandes écoles et 15 % du total de cet État gros comme la France. C'est uniquement là que se fait la recherche de haut niveau et que les enseignants qui s'y consacrent, et qui ont des résultats, obtiennent des charges d'enseignement réduites. Un second groupe d'universités publiques, les State of California Universities, scolarisent 430 000 étudiants (26 % des étudiants californiens) et délivrent un enseignement de qualité, mais les professeurs enseignent beaucoup (10 à 12 heures par semaine) et, en général, ne font pas ou peu de recherche. Le reste des étudiants suivent des cours dans des Community Colleges, qui scolarisent de Bac + 1 à Bac + 3. La situation est très semblable en Angleterre, où se trouvent les quelques universités qui tutoient leurs consœurs américaines, et un grand nombre d'autres universités dédiées à l'enseignement.

En France, on maintient la fiction que toutes les universités sont des lieux de recherche. C'est le cas pour une minorité de départements dans une minorité d'universités, dont celles qui tirent leur épingle du jeu dans ces fameux classements. Ailleurs, on prétend faire de la recherche. Comme leurs collègues des meilleures universités mondiales, les professeurs ont peu d'heures de cours, officiellement pour pouvoir se consacrer à la recherche. Et pourtant ils produisent peu, d'après les standards internationaux. Bien sûr, il y a de brillantes exceptions, mais elles ne devraient pas cacher le tableau d'ensemble. Et pour couronner le tout, le système français ne se livre pas à un sérieux contrôle de qualité : l'évaluation de la recherche par les pairs y a longtemps été faible ou inexistante et n'est apparue récemment que sous la poussée de la concurrence internationale. Il en va de même pour la qualité de l'enseignement.

Il serait plus honnête de reconnaître que la majorité des universités n'ont pas d'autre vocation que l'enseignement, et de s'assurer qu'il est bien fait. Mais c'est impossible puisqu'on vit sur le mythe que tous les enseignants du supérieur doivent à la fois être enseignants et chercheurs. Ce mythe est ardemment défendu par les enseignants, même quand ils n'ont pas publié dans une revue scientifique de qualité depuis plusieurs années (ou jamais parfois). Il leur garantit une faible charge d'enseignement et un contrôle symbolique de ce à quoi ils consacrent leur temps.

Ce grand mensonge est cher, d'ailleurs. Les profs sont payés – mal, c'est vrai – à faire la recherche qu'ils ne font pas. Les étudiants qui veulent se former à la recherche font un doctorat, ce qui est long et coûteux, pour eux comme pour le contribuable. Formés par de pseudo-chercheurs, ils seront, sauf miracle, des pseudo-chercheurs eux-mêmes, loin des standards internationaux (ils ne publieront pas dans les grandes revues internationales reconnues mais dans des revues universitaires locales ; ils ne participeront pas aux colloques internationaux réputés). Ils formeront la génération suivante de pseudo-chercheurs. Même si l'on double les moyens, cela ne changera rien pour la bonne raison que l'argent ne remplacera jamais la formation et le talent, et seule la combinaison des deux marche. Il y a plein de pseudo-chercheurs très talentueux dans nos universités, mais ils n'ont pas été formés pour réussir. C'est frustrant, ils sont frustrés, c'est un gâchis énorme.

Sélection, autonomie, concurrence : des mots qui fâchent

Comment sortir de cette pénible situation ? Il n'est pas nécessaire de réinventer la roue, les exemples étrangers indiquent clairement dans quelle direction doit se faire l'inévitable réforme. Le problème, c'est qu'il est impossible de bricoler ici et là. Dès que l'on commence à envisager des solutions, on en vient à un grand chambardement.

Commençons par ce qui est le plus évident. Puisque tous les professeurs ne peuvent pas être des chercheurs, des vrais, il convient de les spécialiser, certains en tant qu'enseignants, d'autres en tant que chercheurs. Certains chercheront beaucoup et enseigneront peu, la plupart ne feront qu'enseigner. La logique conduit alors à faire en sorte que les étudiants les plus aptes et les plus intéressés par la recherche soient formés par les professeurs-chercheurs. C'est là que tout se complique. Si on ouvre les vannes du libre choix, que va-t-il se passer ? Les meilleurs étudiants vont se précipiter à Paris-6, Strasbourg-1 et les quelques universités qui ressortent dans les classements. Les moins bons ne voudront pas être en reste. L'université de Nice, qui pointe à la 477e place (et qui est probablement meilleure que celles qui ne font pas partie des cinq cents classées), va être désertée. Les meilleures universités ne pourront pas accepter tous les étudiants qui souhaitent s'y inscrire. Comment faire face à cette situation ? Comment faire en sorte que chaque étudiant aille dans l'université la plus à même de lui offrir ce qui correspond à ses goûts, ses talents et ses ambitions ?

On peut tourner et retourner la question, la seule réponse est la sélection. Le mot est lâché. C'est un mot tabou. Bien sûr, les grandes écoles font de la sélection. Si elles ne brillent pas dans la recherche, au moins leurs étudiants trouvent à la sortie un travail intéressant et bien payé. Ce n'est pas que l'enseignement y soit particulièrement de qualité, mais un employeur préfère embaucher un étudiant qui sort de ces écoles précisément parce qu'il a été sélectionné. On a voulu ouvrir les portes de l'université à 80 % de chaque classe d'âge. C'est bien, mais cela signifie que tous les jeunes qui ne vont pas dans les grandes écoles acquièrent un diplôme que tout le monde ou presque peut obtenir et donc qui ne peut pas avoir une grande valeur sur le marché du travail. En refusant la sélection à l'université, non seulement on contribue à détruire la valeur de ses diplômes, mais on empêche aussi de mettre en place un système qui permettrait de former des chercheurs d'un côté, et de donner une éducation supérieure de qualité de l'autre. La sélection, c'est le nœud du problème.

Mais pourquoi la sélection est-elle bannie du vocabulaire universitaire ? Les étudiants sont les premiers à monter sur les barricades dès qu'on murmure ce mot odieux. Ils disent qu'ils refusent un système à plusieurs vitesses qui serait antidémocratique. On peut comprendre leurs frayeurs quand on voit le taux de chômage. Mais l'argument ne tient pas la route. D'abord, parce qu'il y a une sélection féroce, celle qui sépare les grandes écoles des universités, sans parler de la sélection sur le marché du travail. Ensuite, parce que les étudiants sont les premières victimes de la non-sélection : conditions d'études épouvantables, diplômes dévalorisés, ouverture sur le marché du travail bouchée ; en fait, il y a sélection, mais elle prend place durant la première année d'études. Enfin, parce que la sélection, si elle est bien faite, est ce qui est le plus démocratique, si elle est basée sur le mérite et la motivation. La sélection peut être organisée pour diriger les étudiants vers les études pour lesquelles ils sont le plus doués. La sélection, y compris – et surtout – pour les étudiants qui ne sont pas les meilleurs, est la garantie d'une bonne formation et de meilleures chances de trouver un travail en rapport avec leurs compétences. Aujourd'hui, la non-sélection dite démocratique produit d'une part un taux d'échec spectaculaire et, d'autre part, des diplômés qui s'en sortiront d'autant mieux sur le marché du travail qu'ils sont bien « introduits », comme on dit pudiquement. Les autres, ceux qui n'ont pas la chance d'être présentés par leurs parents, oncles ou amis, n'ont aucune manière de valoriser leurs diplômes.

Nombre de professeurs d'université sont aussi, du moins les plus vocaux d'entre eux et leurs représentants, ardemment opposés à la sélection. Eux aussi parlent de démocratie, mais leur raison est inavouable. Imaginons un instant que l'on instaure la sélection. Pour s'en sortir et garder ses étudiants, l'université de Nice va vouloir grimper dans la hiérarchie. Pour y arriver, une seule solution : recruter des chercheurs de talent. Elle peut vanter son climat et la beauté de sa région, mais un vrai chercheur ne succombera à ces charmes que s'il sait qu'il y retrouvera d'autres chercheurs de son niveau et les moyens, parfois coûteux, parfois pas, de conduire ses travaux. De plus, entre les sirènes niçoises et les sirènes strasbourgeoises, voire celles de Cambridge (classée seconde par Jian Tao), comment choisir ? Bien sûr, le salaire va entrer en ligne. Et cela casse tout l'édifice.

Si les universités se mettent à offrir des conditions (salaires, assistants, laboratoires, heures d'enseignement réduites) attractives aux meilleurs chercheurs, on va introduire une hiérarchie. Toutes ne se battront pas de cette manière. Certaines universités vont astucieusement décider d'abandonner la prétention de faire de la recherche pour se spécialiser dans l'enseignement de qualité (comme les State of California Universities). Elles vont se montrer exigeantes envers leurs professeurs, désormais officiellement considérés comme des enseignants, et non comme des chercheurs. Pour attirer ceux qui aiment enseigner et qui le font bien, elles vont, elles aussi, offrir des rémunérations attractives aux enseignants réputés, ce qui va créer une autre hiérarchie. Ceux qui ont des chances d'être en haut de l'une ou l'autre de ces hiérarchies sont pour, bien sûr. Les autres sont contre, c'est bien naturel. Comme toute hiérarchie est pointue en haut et large en bas, ça fait beaucoup de contre et peu de pour. Et voilà pourquoi tant de professeurs d'université sont contre la sélection des... étudiants.

Admettons que l'on ait accepté la sélection et que chaque université choisisse sa stratégie et la mette en œuvre. Cela suppose qu'à l'instar des bonnes universités de recherche ou d'enseignement de par le monde, les universités françaises se voient accorder l'autonomie nécessaire pour développer une stratégie cohérente. Ah, l'autonomie ! Un autre mot qui fâche. On en parle, on la fait au compte-gouttes, comme si elle pouvait exister à 41,7 % ! Pourquoi est-il si compliqué de donner à chaque université des moyens et un cahier des charges, voire un contrat explicite, et juger après coup si elle fait ce à quoi elle s'est engagée ? Parce que ça signifie que le pouvoir quitte le ministère – ainsi que les syndicats d'enseignants et d'étudiants. C'est bien tout l'édifice qui est maintenant en cause et qui résiste du haut jusqu'en bas, du ministre aux bacheliers qui se préparent à entrer à l'université.

Que faudrait-il donc faire ? Rendre les universités complètement autonomes, accepter qu'une poignée d'entre elles conduisent des recherches et que les autres fournissent un enseignement de qualité sans prétendre à autre chose. Un bon jacobin siégeant au ministère voudra aussitôt faire une liste qui reflétera, fatalement, les pressions qui vont immédiatement s'exercer sur lui. L'autre approche, c'est de donner leurs chances à toutes les universités. À chacune de définir sa stratégie et d'entrer en concurrence avec les autres. En éliminant la carte géographique (qui revient aujourd'hui à séparer Paris du reste de la France), en autorisant la sélection, chaque étudiant choisira où il veut étudier et chaque université choisira les étudiants qu'elle souhaite attirer. La sélection ne doit pas se faire nécessairement par le sacro-saint concours à la française, qui est virtuellement inexistant dans les autres pays avancés. Il existe d'autres procédures plus souples et plus subtiles – sur la base de dossiers et d'entretiens – pour s'assurer que chacun trouve sa chacune. Il suffira alors de quelques années pour voir la stratification émerger. Mais aucune position ne sera acquise pour toujours, les universités devront continuer à se battre pour maintenir leur rang, et certaines voudront grimper.

Que faire du CNRS, des autres centres de recherche et des grandes écoles ? Clairement, l'uniformité n'est pas une bonne solution. Certains de ces établissements n'ont pas vocation à faire partie des universités, mais la plupart pourraient, s'ils le souhaitent, s'intégrer dans des universités, tout en y préservant leurs spécificités. Les grandes écoles sont déjà déstabilisées par l'adoption au sein de l'Union européenne du système LMD (licence, maîtrise, doctorat), qui les marginalise, et marginalise leurs étudiants en dehors de l'Hexagone. Fortes de leur prestige hexagonal, elles peuvent continuer ainsi de longues années, et devraient avoir le droit de le faire. Mais elles peuvent aussi offrir le M et le D dans leurs disciplines au sein d'universités avec lesquelles elles auront négocié leur statut de centres spécialisés. D'ailleurs, une partie des grandes écoles sont déjà intégrées dans des universités.

Quant au CNRS, beaucoup de ses laboratoires sont associés à des universités, mais leurs chercheurs font partie d'un autre corps et, en général, n'enseignent pas. Leur expérience gagnerait à être transmise et leurs moyens de recherche à être partagés avec les chercheurs universitaires. Autrement dit, avec quelques exceptions, il sera temps de mettre un terme au grand divorce entre CNRS et Université dès lors que certaines universités auront su se hisser au meilleur niveau de la recherche.

Le grand chamboulement

Imaginons donc la réforme suivante. Les universités sont autonomes, libres de choisir leurs stratégies, leurs enseignants et leurs étudiants. Elles se regroupent pour offrir un enseignement universel et assument, chacune pour ce qui la concerne, la responsabilité de la valeur des diplômes qu'elles offrent. Les étudiants se présentent aux universités qui correspondent le mieux à leurs talents et à leurs aspirations. Ils sont choisis en fonction de leur adéquation avec ce qu'offrent les universités où ils postulent. L'État s'engage seulement sur le nombre de places offertes, et donc sur les moyens que cette décision, éminemment politique, implique. Qui va y perdre et doit donc être dédommagé ?

Les professeurs vont devoir abandonner leur statut de fonctionnaires immuables. Ils seront soumis à la concurrence. Il en va de même des 11 600 chercheurs du CNRS qui, en grande partie, devraient réintégrer l'université. La tradition, de par le monde, est que les universitaires et les chercheurs ont des contrats sans licenciement une fois qu'ils ont publié des recherches considérées comme bonnes par leurs pairs. La raison première est leur indépendance. Une autre raison est que les chercheurs vieillissants deviennent moins, voire pas du tout productifs ; pour qu'ils se lancent dans cette carrière, toujours moins bien rémunérée que les autres, ils doivent être rassurés qu'ils ne seront pas débarqués quand ils cesseront d'être productifs. Ils pourront alors se consacrer à l'enseignement, une raison de plus pour mettre un terme à la séparation entre université et CNRS.

À supposer donc qu'ils aient certaines garanties d'emploi, les professeurs et les chercheurs devront quand même être redistribués dans le nouveau paysage qui se mettra en place. À ce stade, il est essentiel de faire le tri. Beaucoup d'entre eux, ceux qui ont pris de mauvaises habitudes en prétendant faire de la recherche et en consacrant peu d'efforts à leur enseignement et à leurs étudiants, ne pourront pas se reconvertir. Ce seront les grands perdants de la réforme. Il faudra les compenser. Le plus simple sera de préserver tout ou partie de leurs salaires jusqu'à l'âge effectif de la retraite, au besoin en les aidant à se reconvertir. Personne ne devra décider arbitrairement qui sont ces personnes ni combien seront concernés. Il suffira de permettre à chaque université de reconstituer *ex nihilo* son corps enseignant. Les professeurs et les chercheurs du CNRS qui n'auront pas retrouvé un poste au bout de trois ou quatre ans seront alors clairement identifiés comme inadaptés au nouveau système. Nombre d'entre eux pourraient être réembauchés dans les services administratifs où leur connaissance de l'enseignement supérieur pourrait faire merveille.

Quel dédommagement leur offrir ? Un dédommagement complet serait ce qu'ils auraient gagné si rien n'avait changé. On peut dire que c'est trop, ou pas assez étant donné l'impact psychologique de se voir débarquer. Mettons que la compensation soit complète, on y reviendra. Une solution est donc de continuer à les payer. Une autre est de leur verser un montant unique pour solde de tout compte. La première est une promesse par l'État de versements futurs. La seconde leur rend leur liberté assortie d'un joli pactole. Si elle est financée par emprunt, la seconde solution représente exactement la même promesse de versements futurs que la première : il suffit d'épargner le pactole et de recueillir, année après année, les intérêts. D'un point de vue économique, les deux solutions sont identiques. Le très grand avantage de la seconde est d'être crédible aux yeux de ceux qui sont indemnisés, puisqu'ils se voient offrir un montant conséquent en échange de leur acceptation de la réforme. Un avantage accessoire est la transparence : dans le premier cas, la dette est implicite, non mesurée, comme toutes les promesses de l'État, alors que la dette est explicite dans le second cas.

Il reste à calculer ce que coûterait ce montant unique. Il y a aujourd'hui quelque 75 000 professeurs et maîtres de conférences dans l'université et chercheurs au CNRS. Leur salaire moyen est de l'ordre de 50 000 € par an, primes comprises. Prenons le cas très pessimiste où 50 % d'entre eux ne seraient pas réintégrables. La plupart seront sans doute dans les tranches d'âge élevées, mais admettons qu'ils aient en moyenne quinze ans devant eux avant la retraite. Avec un taux d'inflation de 2 %, une somme de 690 000 € investie à 4 % permet d'obtenir 50 000 € par an. C'est donc le versement moyen qui indemniserait entièrement ceux qui abandonneraient leurs positions. Si ce versement est offert à la moitié des professeurs et chercheurs, le coût total est de 26 milliards d'euros, soit 1,5 % du PIB. L'offre devrait rester valable pendant quelques années pour laisser à chaque enseignant et à chaque chercheur le temps de tenter l'aventure de la réforme, sans couteau sur la gorge.

Il reste que, pour réussir, les universités auront besoin de moyens à la hauteur d'une réforme qui restructure de fond en comble le paysage de l'enseignement supérieur et de la recherche. Un bon jacobin déciderait d'augmenter le financement de l'État, creusant le déficit budgétaire ; on verra que ce n'est pas nécessaire, même s'il est souhaitable de consacrer plus de moyens au nouveau système. Mais comment cette manne serait-elle répartie ? Il y aura des universités ambitieuses, d'autres moins. Des universités qui attirent et payent des chercheurs de pointure internationale, et d'autres qui se spécialisent dans l'enseignement. Les premières exigent des moyens autrement plus importants que les secondes. Si la décision de financement est prise à Paris, elle déterminera les universités qui auront le moyen d'avoir des ambitions et celles dont on coupera les ailes, avant même qu'elles aient essayé. Si l'on entre dans ce petit jeu, chaque élu local, grand et petit, fera le siège du ministre pour que *son* université soit bien traitée. Pour ne pas se faire d'ennemis, le ministre fera ce que tous ses prédécesseurs ont fait, il saupoudrera sur tout le monde. Non seulement cela nivellera toutes les universités, mais surtout cela leur enlèvera toute incitation à être ambitieuses. Toute l'idée de la réforme sera annihilée.

De vraies bourses qui ne coûtent rien

Comment faire autrement ? Heureusement, il y a les étudiants, les clients des universités. Aujourd'hui, en moyenne, un étudiant coûte 10 700 € par an. Il paye des frais de scolarité compris entre 200 et 350 €, parfois augmentés de manière plus ou moins légale. C'est une toute petite fraction du coût et donc une énorme subvention. Que justifie cette subvention ? Il y a d'abord un argument d'équité : de nombreux étudiants ne peuvent pas couvrir leurs coûts. Il est en effet impérieux de refuser la sélection par l'argent. Mais certains, même beaucoup d'étudiants, ou leurs familles, peuvent couvrir leurs coûts. Il est choquant de subventionner ainsi les familles aisées avec l'argent du contribuable. C'est, en fait, une redistribution à l'envers, étrangement passée sous silence. Le contribuable qui appartient aux classes moyennes paye les études des enfants des familles aisées, puisque ceux-ci sont surreprésentés dans la population étudiante. Le résultat est tout le contraire de l'équité.

Une autre raison pour subventionner, en partie, le coût des études est que la société profite d'un haut niveau général d'éducation. Même si une bonne éducation profite avant tout aux individus eux-mêmes, il ne servirait pas à grand-chose d'être un savant au milieu d'une population d'analphabètes. Toutes les études montrent que le niveau général d'éducation est, pour un pays, la clé d'un haut niveau de vie. Il est donc tout à fait normal que la société encourage, y compris financièrement, les études. Mais il est tout autant normal que les individus, qui en sont les premiers bénéficiaires, couvrent une part importante du coût de leurs études parce que tout ce qui est gratuit, ou presque, est toujours gaspillé. Ce principe très général et mille fois vérifié s'applique aussi aux études.

De fait, la quasi-gratuité des études produit des effets pervers. Comme une inscription ne coûte rien, ou presque, nombreux sont ceux qui s'essaient à poursuivre des études sans y avoir vraiment réfléchi, sans se soucier de leur utilité, et sans y consacrer tout le temps nécessaire. Cela explique, en partie, que le pourcentage d'étudiants qui obtiennent un diplôme universitaire est, en France, l'un des plus bas parmi les pays développés. S'ils devaient couvrir une fraction substantielle de leurs coûts, de nombreux étudiants hésiteraient à s'engager dans des filières qui ne débouchent sur aucune qualification professionnelle utile. De plus, si les études coûtaient cher, on peut parier que les étudiants choisiraient mieux les filières dans lesquelles ils s'engagent, prendraient très au sérieux leurs études et y consacreraient toute leur attention et tous leurs efforts.

Alors, il reste la question de l'inacceptable sélection par l'argent. C'est une question universelle, et la manière de s'y prendre est bien connue en dehors de l'Hexagone. La solution comporte trois éléments qui se complètent et forment un tout. Premièrement, des frais de scolarité substantiels, partiellement subventionnés pour reconnaître le bénéfice qu'en retire la société. Deuxièmement, un système de bourses qui élimine la sélection par l'argent. Attribuées sur critères de revenus, les bourses doivent être suffisantes pour permettre à chaque étudiant de vivre décemment, ce qui n'est pas le cas actuellement. Les plus démunis doivent être subventionnés à 100 %, puis le taux de subvention doit diminuer en fonction des revenus de leurs familles. Naturellement, les bourses sont soumises à la condition que les résultats soient satisfaisants. Il serait tout de même étrange de verser des bourses à des étudiants touristes ! Troisièmement, un système de prêts qui permet de lisser la transition entre boursiers et non-boursiers.

On objectera que les pauvres ne peuvent pas emprunter. Mauvais argument ! Tout d'abord, les étudiants issus de familles pauvres n'auront pas besoin d'emprunter, ils auront des bourses. Ensuite, il suffit de développer un système de prêts étudiants gagés non pas sur le revenu courant des étudiants, mais sur les revenus futurs. Dans un tel système (qui existe depuis des décennies aux États-Unis), les étudiants emprunteraient de 3 000 à 7 500 € par an pour payer leurs droits d'inscription ainsi que leurs autres frais d'études (logement, livres, ordinateur, transports...) ; comme les bourses, les nouveaux prêts ne seraient renouvelés chaque année qu'en cas de réussite aux examens. Les étudiants ne paieraient rien tant qu'ils poursuivent leurs études et rembourseraient durant leurs dix à quinze premières années de vie professionnelle (avec des interruptions en cas de chômage ou d'accident). Leur richesse future, créée grâce à leurs études actuelles, permettra ainsi de financer ces mêmes études.

Le lecteur perspicace se demandera : pourquoi donc un tel système de prêts étudiants n'existe-t-il pas encore ? Il existe déjà mais seulement pour les étudiants des grandes écoles ou des filières d'excellence à l'université. Mais tant que l'université refusera de faire de la sélection (à la fois des étudiants et des enseignants) et qu'elle ne se prêtera pas au jeu de la concurrence et de l'évaluation par des tiers, les banques fourniront peu ou pas de prêts étudiants puisqu'elles ne peuvent pas mesurer les risques de leurs clients étudiants éventuels. Encore une fois, la non-sélection pénalise les étudiants.

Avec les prêts étudiants, ceux qui ont des bourses partielles et/ou qui ne veulent pas demander de l'aide à leurs familles peuvent emprunter ce dont ils ont besoin et rembourser plus tard lorsqu'ils auront trouvé un emploi rémunérateur. Cela suppose que la formation universitaire conduise à un emploi : l'université ne peut plus continuer à former des futurs chômeurs diplômés et le choix de la filière ne peut plus se faire dans l'ignorance complète des débouchés professionnels. Et, bien sûr, cela suppose que le marché du travail soit défossilisé, mais c'est l'objet d'un autre chapitre.

Combien coûterait un tel système ? Certaines universités, plus valorisées, demanderont des frais de scolarité élevés, d'autres des frais plus modestes. Gardons le coût moyen d'un étudiant à 10 000 €. Les frais moyens de scolarité pourraient être de 7 500 €, laissant ainsi la société subventionner 25 % du vrai coût d'un étudiant. Pour les universités, toutes filières confondues, c'est 17 milliards d'euros, ou 1 % du PIB, qu'elles recevraient ainsi, non pas comme c'est le cas actuellement sous la forme d'une dotation du ministère, mais comme paiement des frais de scolarité des étudiants admis. En pratique, les frais de scolarité seraient versés directement par l'État aux universités, au nom de chaque étudiant inscrit. Avec ce système, les universités devront soigneusement réfléchir au nombre d'étudiants qu'elles admettent : plus les étudiants sont nombreux, plus elles reçoivent d'argent mais aussi plus elles doivent accroître leurs moyens éducatifs (enseignants, bâtiments, laboratoires, etc.) si elles veulent être compétitives.

Bien sûr, tous les étudiants ne peuvent pas payer des frais de scolarité aussi élevés. C'est pour cela qu'il faut repenser entièrement le système des bourses. Aujourd'hui, 30 % des étudiants reçoivent des bourses. Le montant de ces bourses va de 1 300 à 4 200 € par an. Même si l'université est quasi gratuite, il est très difficile de vivre avec 4 200 € par an. Même avec des logements et des restaurants subventionnés, c'est trop peu, et de loin, et ça pénalise en priorité les étudiants les moins fortunés. Une vraie bourse doit tout couvrir, les frais de scolarité et les besoins quotidiens. Le montant annuel d'une bourse complète pourrait donc être de 15 000 €, la moitié pour les frais de scolarité, l'autre moitié pour vivre décemment pendant neuf mois, en escomptant que les étudiants passeront une partie de leurs vacances à travailler (ce qui suppose que ce soit autorisé et que le marché du travail puisse les absorber, encore une autre indication que toutes les réformes se complètent).

Qui recevrait combien ? Admettons que les 30 % des étudiants qui sont aujourd'hui boursiers, parce qu'ils viennent de familles disposant de ressources modestes, reçoivent dans le nouveau système des bourses complètes de 15 000 € par an. Admettons aussi que des bourses partielles, de 10 000 €, seront attribuées à 20 % des étudiants, ceux qui sont issus de familles mieux loties mais néanmoins financièrement serrées. Sur la base de quelque 2 200 000 étudiants aujourd'hui inscrits (toutes filières confondues), le coût total de ces bourses représenterait environ 15 milliards d'euros, soit 0,9 % du PIB. À cela, il faut ajouter le coût des prêts subventionnés qui seront disponibles pour les étudiants qui reçoivent des bourses partielles et ceux qui ne reçoivent pas de bourses et souhaitent emprunter. Admettons que ces subventions coûtent 0,1 % du PIB (une somme probablement exagérée), le nouveau système coûterait donc 1 % du PIB ou 17 milliards d'euros.

Les étudiants, ces clients que l'on choie

Résumons. Avec des frais de scolarité qui sont en moyenne de 7 500 €, les universités recevraient de leurs étudiants une somme qui représente 1 % du PIB. Il se trouve que le système des bourses et des prêts subventionnés coûterait à l'État le même montant. L'opération serait donc blanche pour l'État. Au lieu de payer directement les universités, il verserait des bourses aux étudiants et subventionnerait un système de prêts. Autrement dit, si l'on accepte que le budget des universités reste inchangé à 1,3 % du PIB, c'est la plus grande part du budget de l'enseignement supérieur et de la recherche qui serait ainsi redirigée vers les universités via les frais de scolarité ; l'État subventionnerait les étudiants, qui collectivement achèteraient pour la même somme des services d'enseignement aux universités. Le reste serait versé directement, laissant ainsi à l'État une petite marge de manœuvre pour conduire les opérations qui lui tiennent à cœur. Pourquoi faire compliqué alors qu'il serait si simple de garder le système actuel ?

Parce que ça change tout. Ce n'est plus l'État qui paye, ce sont les étudiants qui deviennent des clients et choisissent où ils veulent aller. Les universités devront donc faire leur révolution et offrir un produit de qualité. Finis les amphis surpeuplés d'étudiants en déshérence, les professeurs qui n'ont pas le temps de préparer leurs cours, ni de parler à leurs étudiants. Les étudiants aussi devront s'habituer à se comporter en adultes. À eux de réfléchir soigneusement où ils veulent dépenser la somme considérable que représente une année d'études.

De plus, comme les bourses seront retirées à ceux qui échouent, finis les étudiants touristes qui ne se présentent que le jour de l'examen, et encore. Un nouveau monde où chacun, enseignants et étudiants, aura intérêt à fournir un travail de qualité. Ce monde, d'ailleurs, n'est pas si nouveau que ça, il existe dans bien d'autres pays.

L'opération blanche pour l'État a un autre avantage, la justice sociale. Les étudiants issus de familles peu ou pas fortunées ne paieraient rien, pas même leurs frais de logement et de nourriture, puisqu'ils disposeraient désormais de bourses, sinon confortables, en tout cas suffisantes. Ce sont les grands gagnants de la réforme. Les étudiants issus de familles fortunées ne seraient plus subventionnés par les contribuables, sauf pour les 25 % du coût de leur éducation qui ne seraient pas inclus dans les frais de scolarité. Ces familles se révolteront-elles ? Sûrement pas, parce que les universités offriraient une éducation de qualité. À l'heure actuelle, ces familles essaient de pousser leurs enfants vers des filières « nobles » (grandes écoles, médecine, droit, etc.), soit parce qu'elles donnent une qualification qui conduit à un emploi, soit parce que le prestige qui leur est attaché est aussi une garantie d'emploi. Mais leurs enfants ne réussissent pas tous à entrer dans ces voies et leurs familles sont le plus souvent désespérément à la recherche d'un moyen de leur permettre de s'en sortir. Elles seront très certainement prêtes au sacrifice financier qui leur sera demandé, puisqu'elles peuvent se l'offrir, si l'effort en vaut la peine.

De nombreux détails peuvent être apportés. Mentionnons-en quelques-uns. Désormais autonomes, les universités pourront décider de leurs frais de scolarité. Les meilleures d'entre elles pourront fixer ces frais à un niveau plus élevé que la moyenne, même beaucoup plus élevé. À Harvard, aux États-Unis, ils sont de l'ordre de 30 000 € ! Mais il ne faut pas que la sélection se fasse par l'argent, et surtout pas dans les universités les plus prestigieuses. La solution est d'imposer à chaque université qui augmente ses frais de scolarité au-dessus d'un certain niveau, disons le niveau moyen, soit 7 500 €, d'offrir une bourse complémentaire à tous les étudiants éligibles à une bourse d'État. Prenons par exemple le cas d'une université qui fixe ses frais de scolarité à 15 000 €. Elle devra accorder à chaque étudiant qui reçoit 7 500 € de frais de scolarité de l'État une bourse complémentaire de 7 500 €. Aux étudiants qui reçoivent une bourse partielle de 10 000 €, dont 5 000 € pour la scolarité, elle devra offrir une bourse complémentaire de 10 000 €. Comment financera-t-elle ces bourses ? En partie avec les frais de scolarité versés par les familles fortunées, en partie en trouvant des financements du secteur privé. À elle de déterminer si le jeu en vaut la chandelle, rien n'oblige une université à être plus chère.

Tous ces calculs partent de l'idée que l'État continue de traiter ses universités en parent pauvre. Si l'on en juge par l'effort financier par étudiant, la France arrive en 14e place parmi les pays de l'OCDE. Parmi les pays de l'Union européenne (des quinze avant l'élargissement de 2004), elle arrive en 10e position, devant l'Espagne, l'Irlande, l'Italie, le Portugal et la Grèce. C'est évidemment indigne de l'image que nous avons de nous-mêmes. Il n'est pas hors de question que l'une des raisons qui découragent les gouvernements à augmenter le budget des universités, quelle que soit leur couleur politique, est qu'ils savent bien qu'elles ne fonctionnent pas bien. Dans ces conditions, se disent-ils sans doute, pourquoi mettre plus d'argent dans un puits sans fond ? En fait, certaines parties de notre système d'enseignement supérieur (les grandes écoles, certains instituts) sont bien mieux loties que la grande masse des universités paupérisées. Cette logique pourrait amener de futurs gouvernements à se montrer plus enthousiastes dès lors que les universités seront devenues performantes, que ce soit en matière d'enseignement ou de recherche. Les propositions présentées ici sont basées sur l'hypothèse que l'effort de l'État reste inchangé ; elles impliquent que sur le 1,3 % du PIB aujourd'hui consacré à l'enseignement supérieur, 1 % soit versé sous forme de bourses et 0,3 % sous forme d'aide directe. Rien n'empêche un gouvernement d'augmenter sensiblement les aides directes.

On peut même suspecter que l'on observera trois changements. Rassuré sur le fait que ses dépenses d'enseignement supérieur sont bien utilisées, l'État aura à cœur de dépenser plus, d'autant que cela lui permettra de conduire des actions ponctuelles (tant pour la médecine, tant pour les technologies de l'information, etc.), toutes sources de pouvoir. De plus, certaines régions voudront avoir des universités prestigieuses et offriront des financements complémentaires. L'État pourra enfin offrir de financer les universités proportionnellement aux ressources qu'elles auront su acquérir par ailleurs. Aide-toi, et le ciel t'aidera. Où chercher ces ressources ? Il y a des sources publiques traditionnelles, comme les fonds de recherche nationaux, européens et internationaux. Les dons privés aux universités sont rares en France, mais il n'y a aucune raison pour qu'ils ne se développent pas comme c'est de plus en plus le cas de par le monde. Le secteur privé, qui a besoin d'un système universitaire de qualité, non seulement des étudiants bien formés, mais aussi d'une recherche de pointe, saura reconnaître ses intérêts bien compris.

On voit venir des objections à ces financements externes, surtout ceux qui viennent du privé. Certains, en France, considèrent le financement privé comme sulfureux. Ils y voient la mainmise des intérêts privés sur l'enseignement, la culture et la recherche. D'autres vont observer que le privé financera l'enseignement et la recherche à contenu technologique, mais abandonnera les disciplines « non rentables ». Ils devraient aller voir ce qui se passe ailleurs. À Harvard, Oxford ou Tel-Aviv, on forme toujours des archéologues et des hellénistes. Il suffit d'utiliser le budget de chaque université, devenue autonome et universaliste, pour rediriger les fonds vers les disciplines peu prisées par les donateurs privés. Pour ce qui est des influences perverses et des risques de contrôle par l'argent, les universités savent bien comment instaurer des murailles de Chine entre le financement privé et la sacro-sainte liberté académique. L'éthique est une valeur fondamentale du monde universitaire et elle peut facilement être garantie par des règles de transparence.

Quelques écueils

Notre projet n'est pas parfaitement ficelé, bien sûr. Deux difficultés méritent d'être mentionnées. Avec des frais de scolarité élevés et des bourses conditionnées par les résultats, on peut s'attendre à moins d'étudiants. Certes, avec quelque 30 % d'étudiants qui n'obtiennent pas de diplôme, le système actuel n'amène pas tous les d'étudiants au terme de leurs études. En ce sens, réduire ce gaspillage est plutôt une bonne chose, d'autant que nos universités ne sont pas équipées (locaux, encadrement, bibliothèques, etc.) pour former convenablement tous ceux qui s'y inscrivent. Il n'en reste pas moins que, déjà, la France est mal placée parmi les pays de l'OCDE en ce qui concerne le nombre de jeunes qui accèdent à l'université, une preuve supplémentaire de l'échec de nos ambitions affichées. D'une manière ou d'une autre, cette sous-performance ne peut que contribuer à notre retard grandissant en matière d'innovation. Si les effectifs venaient à baisser, il faudrait impérativement accroître les moyens pour s'y opposer. Plus de bourses augmenteraient les ressources des universités, ce qui leur permettrait d'offrir des conditions d'études plus décentes que ce n'est le cas actuellement, et donc éviterait les échecs qui servent de sélection déguisée. Ayant sélectionné leurs étudiants, les universités auront à cœur de les conduire au terme de leurs études, si elles en ont les moyens. Cela accroîtrait le budget, mais ce ne serait pas un coût directement imputable à la réforme. Au contraire, le surplus d'investissement de l'État dans la matière grise des citoyens serait la reconnaissance que l'outil universitaire est plus performant.

L'autre gros problème est celui de la transition entre l'ancien et le nouveau régime. Nous envisageons une période de trois ou quatre années pour que se reconstitue le nouveau paysage. Chaque université sera en quelque sorte recréée et reconstituera son corps enseignant en fonction de la stratégie qu'elle aura choisie. Il faudra donc amorcer la pompe. Qui pilotera cette restructuration ? Comment fonctionneront les universités durant cette période ?

Nous avons déjà indiqué que le danger de ce chantier est qu'il soit piloté par le ministère. Face aux enjeux énormes, les pressions politiques seront massives, contradictoires car concurrentes, et donc certaines de dénaturer l'opération. Nous proposons donc que, dans un dernier acte souverain, le ministère nomme les futurs présidents des futures universités et les laisse ensuite libres de constituer leurs équipes. Ces équipes auraient alors la charge de définir leurs stratégies et leurs modes de fonctionnement, d'engager leurs enseignants et, le cas échéant, leurs chercheurs, sans démarrer leurs activités avant le jour J. Pendant ce temps, l'ancien système continuerait de fonctionner comme il fonctionne aujourd'hui. Sans aucun doute, ce sont des milliers de problèmes qui vont apparaître. Par exemple, que faire des étudiants en cours au jour J ou comment les universités pourront-elles décider de leur taille avant même de démarrer ? Lâchement, nous n'examinons pas ces aspects.

En conclusion, il n'est pas impossible de reconstruire l'enseignement supérieur et la recherche en

France, et ce, sans nécessairement injecter des ressources supplémentaires. Le seul coût de la réforme que nous proposons est le dédommagement des professeurs et des chercheurs qui ne seront pas repris après la grande transformation (ce coût est de 26 milliards d'euros, soit 1,5 % du PIB). Pour atteindre l'excellence en recherche et en enseignement, l'État devra sans doute mettre la main au portefeuille, mais ce n'est pas par là qu'il faut commencer. La clé est de rendre les universités autonomes, complètes (elles doivent rassembler un vaste champ de disciplines) et concurrentes, d'y intégrer l'essentiel de la recherche et d'en réformer la gouvernance. La concurrence nécessite la possibilité pour chaque université de choisir ses étudiants, tout comme chaque étudiant devrait pouvoir choisir où il souhaite étudier. S'il faut appeler cela de la sélection, faisons-le.

L'autonomie et la concurrence ne sont possibles que si les universités perçoivent des frais de scolarité qui soient d'un ordre de grandeur comparable à ce que leur coûte chaque étudiant. Pour éliminer tout risque de sélection par l'argent, il devient nécessaire d'avoir un système de bourses qui couvrent effectivement les frais des étudiants issus de familles qui n'ont pas les moyens de financer les études de leurs enfants. Cela ne nécessite pas d'augmenter le budget, simplement de modifier la manière dont les universités reçoivent les fonds de l'État. Au lieu qu'elles quémandent ces fonds au ministère, elles iront les chercher en attirant des étudiants qui, du coup, passeront du statut de numéros anonymes à celui de clients responsables et exigeants. Forcées de fournir un service de qualité, les universités devront choisir comment elles se positionnent entre enseignement de pointe associé à la recherche et enseignement destiné à donner à leurs étudiants une formation de qualité, sans viser les activités de recherche.

Tout le monde gagnera à mettre un terme au grand mensonge qui veut que chaque professeur d'université soit un chercheur et que chaque département de chaque université ait une activité de recherche. Enfin presque. Les grands perdants seront les enseignants et les chercheurs qui ne sont performants ni en recherche ni en enseignement. Ils ne survivront pas à cette concurrence. Il faudra donc les dédommager. La méthode proposée est de leur offrir un contrat. D'un côté, ils acceptent d'abandonner l'enseignement ou la recherche, de l'autre, ils reçoivent une somme qui correspond à ce qu'ils auraient gagné jusqu'à leur retraite, qui sera maintenue inchangée. Il serait souhaitable de leur offrir des alternatives, dans l'administration universitaire par exemple. Le coût de l'opération est celui du dédommagement des enseignants du supérieur et des chercheurs qui ne survivraient pas dans ce système concurrentiel. Si l'on admet, de manière très pessimiste, que c'est la moitié d'entre eux qui seraient affectés, le coût est de l'ordre de 26 milliards d'euros, soit 1,5 % du PIB. C'est une bonne affaire pour reconstruire l'enseignement supérieur et la recherche, une condition nécessaire pour que la France tienne son rang en redevenant le pays des Lumières, augmente de manière durable sa productivité et donc le niveau de vie de ses citoyens.

Chapitre VIII

Malbouffe des subventions agricoles

Le poison de la PAC

Depuis des années, la France s'oppose à toutes les tentatives européennes de réforme de la politique agricole commune (PAC). Que la PAC soit coûteuse – elle absorbe près de la moitié du budget communautaire –, nul n'en disconvient. Qu'elle soit inefficace est largement accepté. Les agriculteurs eux-mêmes se plaignent de leur statut d'assistés, de la bureaucratie et des incohérences de la PAC. Ils se plaignent aussi de son inefficacité puisque le revenu des agriculteurs continue d'augmenter moins vite que celui de leurs concitoyens et que le nombre d'exploitants agricoles n'a jamais cessé de diminuer. Pire même, la PAC est injuste. Les grandes exploitations reçoivent des sommes énormes (les chèques envoyés à la reine d'Angleterre et à son fils chaque année approchent 1 million d'euros chacun), alors que ce qui est versé aux petits exploitants leur permet tout juste de survivre – et encore pas toujours. Avec un brin de nostalgie, les Français sont attachés à l'image du petit agriculteur qui produit la saveur du terroir, même si la majorité de ce qu'ils mangent vient de la grande agriculture industrialisée. Il existe encore quelques bergers qui traient leurs chèvres élevées en semi-liberté pour produire des picodons qui sentent la garrigue et ont le goût du paradis, mais ce qu'ils reçoivent de la PAC les maintient tout juste au bord de la misère. Ils abandonnent un à un, parce que, décidément, le jeu n'en vaut pas la chandelle, mais aussi parce que le renforcement continu des normes sanitaires impose de coûteux investissements qui découragent les petits exploitants. En poussant à l'industrialisation, la PAC abandonne les artisans, favorise l'industrialisation et son corollaire, les pollutions.

Ce ne sont pas non plus les propositions de réformes qui manquent, ni même les réformes elles-mêmes. Nous ne souhaitons pas en rajouter. Toute réforme de la PAC signifie que les subventions aujourd'hui versées seront modifiées. Certains peuvent y perdre, d'autres y gagner. Le principe de ce livre est que tous ceux qui perdent doivent être dédommagés. Pour voir comment ce principe s'applique aussi dans ce cas, nous imaginons un cas extrême, mais pas tout à fait irréaliste : supposons carrément que la PAC soit purement et simplement supprimée. Comment fonctionnerait alors le principe de réforme avec compensation ?

La grande réforme de 1992 a déjà utilisé le mécanisme de compensation, mais mal. Cette réforme est en fait un excellent exemple de ce qu'il ne faut pas faire. Avant 1992, le beurre et les céréales s'amoncelaient en montagnes d'invendus. Pour chaque produit agricole subventionné, la PAC fixait jusqu'alors un prix très au-dessus des cours mondiaux. Pour garantir ces prix, la Commission européenne se tenait prête à acheter tout ce qui ne serait pas vendu sur le marché intérieur au moyen de subventions puisées dans le budget européen. Cela encourageait les agriculteurs à produire autant qu'ils pouvaient puisque les débouchés étaient garantis et les prix attrayants. Utilisant, parfois même en abusant, tous les progrès en matière de fertilisants et de produits phytosanitaires, les agriculteurs se sont lancés dans l'industrialisation agricole. Et tout cela a contribué à la « malbouffe », justement décriée par José Bové : quand les grandes exploitations agricoles sont rémunérées à la seule quantité, quand la demande importe peu car les subventions assurent les débouchés, le goût passe au second plan, laissant la place à une production standardisée et affadie, même si les règles de sécurité alimentaire ont nettement progressé.

Croulant sous les stocks et sous la pression des grandes nations agricoles non européennes, l'Europe a bien dû changer la PAC. La grande idée de la réforme de 1992 a été de mettre un terme au principe des subventions automatiques. La méthode a été de baisser les prix planchers pour les rapprocher des cours mondiaux – donc de supprimer les subventions qui correspondaient à la différence entre prix planchers et cours mondiaux – et de compenser le manque à gagner des agriculteurs. Cela a conduit aux paiements compensatoires, désormais versés à chaque propriétaire agricole en fonction de la taille de son exploitation et de ce qu'il produit. Dans la droite ligne de notre stratégie, ces paiements ont été calibrés de manière à ce que les propriétaires agricoles n'y perdent pas au change.

Cette réforme, qui a par la suite été affinée, notamment en 2003, a un grand avantage. En libérant les prix, elle a découragé la surproduction. Accessoirement, elle a libéré la Commission de l'obligation d'acheter les surplus. Enfin presque, puisque les prix planchers existent encore, même s'ils sont en général proches des cours mondiaux. La réforme a encouragé les agriculteurs à désormais se préoccuper du marché, sinon ils vendent moins et en subissent les conséquences.

Très bien ? Non, car il ne suffit pas de réformer en compensant pour bien réformer. La réforme elle-même peut être mauvaise et les compensations mal conçues. C'est le cas de la réforme de 1992. Tout d'abord, le montant des paiements compensatoires a été fixé de manière à maintenir globalement le volume des subventions annuelles au niveau de 1992. Depuis lors, les prix des produits agricoles ont évolué dans des directions différentes. Certains agriculteurs sont sur les bons créneaux : leurs produits se vendent bien, à un prix confortable, et en plus ils reçoivent des subventions. D'autres ont moins de chance : les prix de leurs productions ont baissé, les subventions n'ont pas été ajustées et ne sont plus suffisantes pour leur permettre de continuer. L'autre problème, c'est que les subventions sont d'autant plus élevées que l'exploitation est grande et qu'elles sont versées aux propriétaires, pas aux exploitants. Si la reine d'Angleterre est bien compensée de sa peine, rien ne garantit que les fermiers qui travaillent ses terres en reçoivent tous les bienfaits. Des estimations de l'OCDE indiquent qu'en moyenne, dans l'Union européenne, les exploitants eux-mêmes ne reçoivent qu'un peu plus de la moitié de la PAC, l'autre moitié dédommage les propriétaires. De quoi, au juste ?

La grande erreur a été d'offrir des compensations permanentes. Non seulement cela gèle les situations aux niveaux de 1992, mais surtout cela maintient un système de dépendance. Les conséquences sont aberrantes. Puisque presque toute production ouvre droit à une subvention, nombreux sont ceux qui exploitent plus pour toucher la subvention que pour vendre leur production. C'est ainsi que l'on voit dans le grand nord de l'Europe des propriétaires de forêts couper les arbres, qui ne rapportent pas grand-chose, pour planter du blé qui ne mûrira jamais. Plus au sud, les vaches corses, que l'on n'avait jamais vues dans l'île de Beauté avant l'apparition des primes européennes à l'élevage bovin, paissent librement dans le maquis de manière à être comptabilisées plusieurs fois comme sources de subvention. Dans nos écoles agricoles, une partie importante de la formation consiste à bien apprendre comment toucher des subventions. La réforme de la PAC de 2003, qui découple un peu plus les subventions de la production (pour 70 % d'entre elles), ne change pas fondamentalement ce diagnostic.

Pour les petits exploitants, les subventions font toute la différence entre continuer à vivoter et abandonner. Même s'ils croulent sous la paperasse, et même s'ils se sentent parfois humiliés, il ne faut pas s'étonner qu'ils tiennent à la PAC, qui leur permet souvent de joindre les deux bouts. À la moindre remise en cause de la PAC, ils se sentent très directement menacés. Ils forment alors le gros des troupes qui se mobilisent sous l'œil approbateur des grands propriétaires qui reçoivent des sommes énormes. On croit revivre l'Ancien Régime : une poignée de grands rentiers de la PAC poussent au combat des armées de manants.

Que peuvent-ils faire d'autre, ces manants ? Ceux qui possèdent des terres pourraient les vendre aux grands propriétaires. Ils le font, mais le prix obtenu ne leur permet pas vraiment de redémarrer ailleurs, ne serait-ce que parce que leur maison ne vaut pas grand-chose non plus. Les autres, les fermiers sans terre, pourraient changer de métier, mais leurs compétences sont difficiles à valoriser et le chômage est élevé. Redémarrer à zéro, sans pécule de départ, est parfaitement décourageant.

Les subventions maintenues année après année sont un véritable poison. Elles assurent une rente aux grands propriétaires et maintiennent les petits propriétaires tout juste hors de l'eau. Elles n'ont pas de justification en termes d'efficacité économique puisqu'elles gardent en place des activités qui ne sont pas rentables par elles-mêmes – si elles l'étaient, la PAC ne servirait pas de bouée de sauvetage pour des milliers d'exploitants. La dernière idée en date pour justifier la PAC, celle des réformes de 1999 et de 2003, est d'introduire la notion de « service public ». Il fallait y penser ! Les exploitants ne sont plus occupés à seulement faire de l'agriculture ; désormais, très officiellement, ils protègent l'environnement, maintiennent la beauté des paysages, assurent l'entretien des chemins, des cours d'eau, etc. Les subventions sont donc devenues une juste rétribution du service qu'ils rendent à la collectivité. Du coup, une partie des subventions est désormais soumise à de nouvelles obligations – d'où la paperasse administrative qui va avec. Mais on peut se demander quel service public remplissent certains agriculteurs qui déversent tellement de nitrates que les eaux deviennent non potables pour des centaines de milliers de citadins et de ruraux, notamment en Bretagne à cause des porcheries. Quant à l'entretien des paysages, s'il est légitime, il pourrait tout aussi bien être assuré par une replantation en forêts, ce qui permettrait de piéger du gaz carbonique et de lutter contre le réchauffement climatique.

Cette découverte du service public arrive à point nommé. Attaquée de toutes parts, la PAC doit être justifiée aux yeux de l'opinion publique. Sa raison d'être initiale, assurer l'indépendance alimentaire de l'Europe, a disparu sous les montagnes des stocks d'intervention. Mais la PAC a aussi été populaire parce que l'agriculture a un côté mythique et pas seulement en Europe ; tous les pays riches subventionnent aussi leurs agriculteurs. La nostalgie des temps anciens où, vu du XXIe siècle, tout était plus simple reste puissante. On imagine ses propres racines, la solidarité des petites exploitations familiales, bref, l'économie à visage humain. Et maintenant, nos agriculteurs modernes deviennent les gardiens de la nature. On ne peut que les aimer. On oublie que l'agriculture moderne est une source majeure de pollution et d'épuisement des sols. On oublie que certaines grandes exploitations, avec leurs exportations subventionnées, participent à l'appauvrissement des paysanneries du tiers monde.

Entre les considérations d'environnement et les exigences des pays pauvres, les justifications de « service public » des agriculteurs ne résisteront pas longtemps. Sous la pression des autres pays européens, qui préféreraient allouer le budget européen à la recherche ou aux universités et des pays émergents (négociations au sein de l'Organisation Mondiale du Commerce), notre PAC devra être profondément réformée.

Une PAC en capital

La vraie justification des subventions actuelles de la PAC, c'est le contrat moral de 1992. En contrepartie de l'abandon du mécanisme de soutien aux prix, on a offert aux agriculteurs des paiements compensatoires. Ce faisant, on leur reconnaissait un droit à être indemnisés. Le maintien de la PAC, malgré ses graves défauts, reflète ce contrat. Il entérine aussi la capacité de mobilisation des agriculteurs et la peur de bien des gouvernements de s'aliéner un segment de la population qui est devenu très faible en nombre, mais qui jouit encore (pour combien de temps ?) d'un très fort capital de sympathie dans l'opinion publique. Aucune réforme de la PAC n'est viable si elle ne reconnaît pas aux agriculteurs le droit à être indemnisés du coût qu'ils auraient à supporter. Les aides sont devenues une rente, un paiement dû sans qu'il ne soit véritablement justifié par un service rendu. Toute bonne réforme devra éliminer la rente, source de gaspillage et d'inefficacité, mais aussi compenser les agriculteurs.

Nous proposons de remplacer la compensation annuelle « poison-plus-rentes » héritée de 1992 par une compensation versée une seule fois et pour solde de tout compte. Cette compensation dépend de la réforme envisagée et les projets de réformes de manquent pas. Chacun implique des coûts pour les agriculteurs et le montant de la compensation doit être calculé en fonction de leurs pertes prévisibles. À titre d'exemple, considérons la solution la plus simple, la plus radicale et la plus coûteuse : l'abandon pur et simple de la PAC. À partir de là, on pourra recalculer ce que d'autres réformes, moins radicales, exigeraient.

En 2005, les agriculteurs français ont collectivement reçu, au titre de la PAC, 10 milliards d'euros de subventions, soit 0,6 % du PIB. Un abandon de la PAC avec compensation implique que les agriculteurs continuent à recevoir les mêmes montants. C'est, en gros, ce qu'a fait la réforme de 1992, sauf que les subventions – et la PAC, transformée – ont continué, et cela n'a pas marché. Notre idée est d'offrir aux agriculteurs un paiement unique, pour solde de tout compte, qui soit l'exact équivalent de ce qu'ils auraient reçu si la PAC était maintenue. Avant de voir comment ce paiement se calcule, regardons ce que cela changerait.

Avec la PAC, les agriculteurs doivent continuer à cultiver ou à élever du bétail, qu'ils aient des débouchés ou non. Tout cela n'ayant guère de sens pour justifier la poursuite des subventions, on a inventé l'idée de services rendus à l'environnement, on l'a déjà vu plus haut. Avec un versement unique, on dédommage les agriculteurs une bonne fois pour toutes et ils sont libres de faire ce qu'ils veulent. À leur choix, ils pourront continuer de produire ou pas, mais sans subventions. La différence est énorme. Pour les agriculteurs, d'abord, qui retrouvent la maîtrise de leur destin. Pour la société, ensuite, puisqu'une activité subventionnée et donc incapable de fonctionner par elle-même retrouve le lot commun de toutes les activités économiques : ce qui est rentable continue à exister, ce qui ne l'est pas et qui pèse aujourd'hui sur les finances publiques disparaît. La disparition d'une activité est bien sûr pénible, mais dans ce cas les agriculteurs quitteront la terre avec un solide pécule qui devrait permettre à nombre d'entre eux de repartir, ou pour les plus âgés de préparer une retraite décente.

Venons-en à la manière de procéder au dédommagement. Un paiement unique de 500 milliards est l'exact équivalent des subventions annuelles de 10 milliards d'euros. En effet, si ce montant est investi au taux d'intérêt courant (4 %), il produira alors indéfiniment des intérêts annuels de 10 milliards d'euros, indexés sur l'inflation pour reprendre les termes de l'accord Blair-Chirac de 2003. Cette somme représente environ 27 % du PIB de 2007.

C'est beaucoup, mais le coût net pour le contribuable est nul. L'abandon de la PAC signifie que l'État économise tous les paiements futurs à ce titre. S'il finance le dédommagement des 500 milliards cédés aux agriculteurs en échange de la fin des subventions, il devra payer chaque année en intérêts les 10 milliards qu'il aurait versés sous forme de subventions. Que l'État verse 10 milliards par an à ses agriculteurs ou à ses créditeurs ne change absolument rien aux finances publiques.

Pour les gros propriétaires, rien ne changera non plus. Ils pourront investir la somme qu'ils recevront – par exemple en souscrivant à l'emprunt des 500 milliards – et toucher la même rente qu'en ce moment. Pour les petits agriculteurs, par contre, tout va changer. Ceux qui ne peuvent pas survivre sans la PAC vont avoir un choix à faire.

Ils pourront investir la somme qu'ils reçoivent et donc pérenniser leurs subventions annuelles : au lieu d'être payée par la PAC, ils recevront la même somme sous la forme des intérêts sur leur capital investi. On pourrait même leur réserver les bons du Trésor émis à cette occasion pour leur garantir une rentabilité de 4 %. Dans ce cas, rien ne change ; ils sont dans une situation ni meilleure ni pire. Simplement, ils n'ont plus à se soucier de remplir leurs demandes de subventions. Ils reçoivent une PAC-capital, qui leur rapporte des versements d'intérêts annuels équivalents à la situation antérieure. Ils peuvent continuer de produire, mais sans subventions !

Ils peuvent aussi décider que le jeu n'en vaut plus la chandelle. Certains le pensaient sans doute avant, mais n'avaient pas vraiment d'alternative. Maintenant, ils reçoivent une somme rondelette dont ils peuvent se servir pour se reconvertir. Pour avoir une idée de cette somme, prenons une exploitation qui reçoit de la PAC

10 000 € par an ; c'est probablement – les chiffres détaillés ne sont pas publiés – la somme médiane. La compensation dans ce cas serait de 250 000 €. Certains peuvent utiliser ce capital pour acheter des terres et s'agrandir, ou pour rembourser leurs dettes, d'autres peuvent investir dans des activités non agricoles. En fin de compte, soit les exploitants se satisfont de la situation actuelle et touchent la PAC-capital, et rien ne les oblige à changer, soit le capital qui leur est versé leur ouvre de nouveaux horizons. Autrement dit, soit ils y gagnent, soit ils ne perdent pas.

Séparer les petits des gros

Il reste que 27 % du PIB, c'est vraiment beaucoup, manifestement trop pour être envisageable. Fort heureusement, c'est aussi trop même s'il s'agit d'entièrement compenser les agriculteurs. Les calculs précédents partent de l'idée que la PAC est éternelle et restera inchangée. Rien n'est moins sûr. La PAC n'échappera pas à une nouvelle révision, avec pour point d'arrivée probable la fin des subventions à l'agriculture. La France a obtenu en 2005 que le montant total de la PAC reste inchangé jusqu'en 2013, après correction de l'évolution du niveau général des prix. Pour la période au-delà, les opposants à la PAC au sein de l'UE fourbissent déjà leurs armes et ils gagnent du terrain. De plus, les pressions augmentent au niveau mondial. Les pays en développement demandent avec de plus en plus d'insistance que les subventions à l'agriculture dans les pays riches soient éliminées, et leurs moyens de pression commencent à être substantiels. De toute façon, pour faire de la place aux nouveaux pays membres de l'UE, les subventions aux agriculteurs de la vieille Europe vont baisser d'environ 5 % dans les années qui viennent.

Si la PAC est, de toute façon, appelée à disparaître ou, du moins, à être profondément remaniée et réduite, la base de calcul doit changer puisque l'idée est de compenser les agriculteurs pour ce qu'ils perdent. Si l'on part de l'idée que la PAC est vouée à disparaître dans dix ans, ce sont donc les dix versements annuels qui restent à venir qu'il convient de rembourser, et non pas un flux permanent comme précédemment supposé.

Si les montants changent, le raisonnement reste le même : quelle est la somme unique qui, versée au départ et investie à 4 %, permet d'obtenir pendant dix ans des versements égaux en pouvoir d'achat à la PAC ? Dans ce cas, évidemment, le dédommagement est beaucoup plus faible : 92 milliards d'euros, soit 5,2 % du PIB d'aujourd'hui, assurent des revenus, indexés sur l'inflation, de 10 milliards par an pendant dix ans. Un exploitant qui reçoit de la PAC 10 000 € par an se verrait alors offrir un dédommagement de 91 000 €.

Le cas des grandes exploitations soulève une question de justice sociale. En 2001, quelque 23 000 exploitations françaises ont chacune reçu des subventions qui dépassent les 50 000 € par an. Le plus gros montant versé en 2004 est de 872 108 €. À coup sûr, ce n'est pas par hasard que des exploitants ont reçu ces sommes astronomiques. Ils ont dû bien calculer et, surtout, bien ficeler leurs dossiers. C'est bien sûr le droit de chacun de profiter d'une bonne aubaine. Mais lorsque l'aubaine disparaît, le dédommagement doit-il être entièrement versé ?

Sur le plan économique, l'argument selon lequel la PAC permet la survie des exploitations est peu convaincant dans ce cas. Sur le plan moral, l'argument selon lequel l'État doit verser une compensation honnête lorsqu'il casse un contrat doit être confronté au principe d'équité. Il reste un argument politique : la compensation sert aussi à remporter l'adhésion des agriculteurs. Il se trouve que, bon an, mal an, le quart des montants distribués au titre de la PAC en France est versé à 4,5 % des exploitants agricoles. On peut se passer de leur adhésion, même s'il faut s'attendre à ce qu'ils utilisent d'importants moyens – à commencer par le contrôle qu'ils exercent sur la FNSEA – pour mener campagne contre une réforme qui pourrait leur coûter beaucoup d'argent. L'opinion publique appréciera.

Un bon moyen de réduire la facture et de respecter la justice sociale, sans prendre un trop gros risque politique, est donc de limiter les compensations à un certain seuil. Sur la base des derniers chiffres connus qui correspondent à l'année 2001, un quart des exploitations a reçu des sommes supérieures à 20 000 € ; ensemble, elles ont accaparé 65 % du total des subventions. En limitant le dédommagement à l'équivalent d'une subvention annuelle de 30 000 €, on réduit de moitié le dédommagement total. Cela devrait léser environ 10 % des exploitations, les plus grosses. On peut opérer de manière plus subtile, avec des dédommagements dégressifs, peut-être en donnant un coup de pouce supplémentaire pour les plus petites exploitations. Tout cela peut se calculer, à condition d'avoir des informations qui ne sont pas actuellement disponibles. Mais, pour simplifier, on voit que la facture peut être réduite de moitié.

Au total, si l'on admet qu'il est réaliste de dédommager les agriculteurs pour dix années de subventions, une compensation plafonnée à 30 000 € représente un coût de 46 milliards d'euros, soit 2,6 % du PIB. C'est une somme raisonnable. Pour 90 % des agriculteurs, la compensation est totale. Pour les 10 % restants, la compensation est partielle, mais il s'agit de très grosses exploitations qui, pour la plupart, sont rentables même sans PAC. Pour le budget de l'État, c'est une excellente affaire. En effet, l'État doit emprunter 46 milliards pour financer la compensation, mais il efface sa dette implicite sur les paiements à effectuer durant les dix dernières années d'existence supposée de la PAC, qui s'élève à 92 milliards. Un gain de 46 milliards !

Le monde à l'envers : la France pour la réforme de la PAC

Bien sûr, la PAC n'est pas décidée à Paris, toute réforme doit être décidée collectivement au sein de l'Union européenne. Mais, parce que c'est elle qui a jusqu'à présent bloqué toutes les tentatives de réformes ambitieuses, une initiative courageuse de la France serait très appréciée. Comment pourrait se jouer la partie ?

Il se trouve que, face au blocage de ces dernières années, un certain nombre de pays découragés par l'impossibilité de réformer la PAC ont proposé de la nationaliser, ce que la France a vigoureusement refusé. Elle pourrait à présent reprendre cette idée. La politique agricole cesserait d'être commune, laissant chaque pays libre de subventionner ses agriculteurs à ses frais, ou bien d'arrêter les subventions en offrant, ou pas, une compensation, à sa discrétion.

La PAC n'a pas été inventée par hasard. À partir du moment où l'on a un marché commun, toute subvention nationale créée des distorsions puisqu'elle donne un avantage à ses producteurs. C'est pour cela que l'on considère, à juste titre, que les subventions à l'agriculture doivent être communes aussi longtemps qu'elles sont maintenues. Et voilà que nous proposons d'abandonner un principe sacro-saint de la construction européenne ! Notons d'abord que l'idée de renationaliser la PAC n'est pas la nôtre, elle est le reflet de la frustration de quelques pays. Notre idée à nous, c'est la renationalisation de la PAC et la possibilité de compenser les agriculteurs avec un versement unique. Et ça change tout.

Pour voir comment, imaginons que cette solution soit adoptée et que la France choisisse la voie de la compensation alors que d'autres pays, la Pologne par exemple, décident de maintenir des subventions. Que se passerait-il ? On s'attend à retrouver ces fameuses distorsions de concurrence. Si les agriculteurs français ne sont plus subventionnés et si leurs collègues polonais continuent à l'être, ces derniers sont, semble-t-il, commercialement avantagés. Comme il n'y a pas de droits de douane, ils peuvent vendre leur production moins cher et aucune protection des agriculteurs français n'est possible. Eh bien non.

Tout d'abord, ces subventions polonaises seraient un cadeau aux consommateurs français qui pourraient acheter des produits agricoles moins chers grâce aux efforts des contribuables polonais. Mais surtout, il ne faut pas oublier que, dans notre histoire, les agriculteurs français auront été dédommagés. Ils auront échangé des subventions annuelles contre un capital qui, une fois investi, génère des intérêts annuels exactement équivalents aux montants précédemment reçus au titre de la PAC. Autrement dit, ils sont tout aussi subventionnés que leurs collègues polonais et il n'y a pas de distorsion. C'est le cas, du moins, de ceux d'entre eux qui souhaitent rester dans l'agriculture face à un nouveau concurrent dont les coûts de revient sont, de toute façon, plus bas. (Les autres, ceux qui se sont reconvertis à l'aide de leur capital, ne peuvent que se réjouir de leur choix). Pendant ce temps, en Pologne, les contribuables découvrent qu'ils offrent aux consommateurs européens une ristourne. C'est une chose d'être pour la PAC quand les autres pays la financent, c'en est une autre de tout payer soi-même. Il est très probable que les contribuables polonais deviendront vite moins généreux et opteront pour la fin des subventions, avec ou sans compensation, à leur gré. À ce moment-là, les agriculteurs français pourront utiliser ce qui reste de leurs capitaux pour en faire ce qui leur plaît. Quoi qu'il advienne, ils seront gagnants.

Qu'en est-il des contribuables français ? L'abandon de la PAC avec compensation leur a déjà permis de faire une belle opération, la dette implicite a baissé de 46 milliards. Mais ils ne vont pas manquer d'observer que la nationalisation de la PAC est une mauvaise affaire pour les pays qui reçoivent plus de la PAC qu'ils n'y contribuent. C'est vrai, tout comme il est exact que la France est aujourd'hui le pays qui profite le plus de la PAC. On le claironne souvent, mais de combien s'agit-il ? Supposons que l'on supprime la PAC et que l'on réduise d'autant les contributions que verse chaque État membre au budget communautaire européen, en proportion de ce qu'il verse. La France, qui paierait moins mais recevrait encore moins, perdrait, d'après nos calculs, 1,8 milliard d'euros soit 0,1 % du PIB par an. Ce n'est pas rien, mais ce n'est pas suffisant pour ne pas faire une réforme qui est autrement plus bénéfique. Et puis, cela se négocie. Déjà, la Grande-Bretagne a lié son rabais – obtenu de haute lutte par Margaret Thatcher – à une baisse de la PAC. De bons négociateurs français pourraient obtenir de ne rien perdre du tout en cas de nationalisation de la PAC. La France pourrait, par exemple, négocier que les crédits budgétaires européens de la PAC soient reconvertis en soutien à la recherche et à l'université (comme le veulent les Anglais) et en négocier une partie intéressante pour la France.

Ce chapitre a donc envisagé une option radicale, la renationalisation de la PAC, laissant chaque pays libre de faire ce qu'il souhaite, si possible avec quelques garde-fous (un plafond pour les subventions là où elles sont maintenues, par exemple). Dans cette optique, on a imaginé que la France choisirait d'abandonner purement et simplement les subventions annuelles à l'agriculture, mais offrirait en contrepartie une compensation à ses agriculteurs sous la forme d'un paiement initial unique pour solde de tout compte. Si la compensation est complète, rien ne change pour les agriculteurs, sinon la forme que prend la subvention : versement en capital au lieu d'annuités. Pour l'État aussi, l'opération est financièrement neutre. En plafonnant les subventions, l'opération devient avantageuse pour le budget de l'État, aux dépens d'un dixième des exploitants, les plus gros, qui n'ont pas besoin de subventions pour être en excellente santé. Nul doute que ces derniers se dresseront contre ce projet.

Mais l'opération n'a pas qu'un intérêt budgétaire. Son principal intérêt, en fait sa raison d'être, est de mettre un terme à un système dont les effets nocifs sont reconnus. En encourageant les agriculteurs dont les exploitations ne sont pas rentables à se reconvertir – grâce à un pécule très substantiel – dans des activités plus productives, on accroît le PIB et donc le revenu de tous les Français. En éliminant les incitations qui poussent à produire toujours plus sans se soucier de la demande – les prix planchers n'ont toujours pas été éliminés, ils ont été abaissés, ne l'oublions pas –, on réduit la course à la surproduction et ses manifestations multiples : usage excessif de produits polluants, érosions des sols, etc. Même si ces effets ne sont pas pris en compte dans le PIB, c'est un progrès pour tous les Français.

Un bénéfice accessoire est de permettre une sérieuse réduction des effectifs du ministère de l'Agriculture et des divers offices publics agricoles qui déversent les subventions. Si les agriculteurs ne sont plus assistés et encadrés dans leur travail, s'ils sont rendus plus libres, toute l'administration publique d'intervention et d'encadrement dans les marchés agricoles pourra disparaître, ou du moins voir sa voilure sérieusement réduite. Le ministère pourra se concentrer sur sa mission essentielle, le contrôle de qualité et de sécurité alimentaires. Nul doute qu'il sera opposé à notre réforme.

On pourra objecter, bien sûr, qu'étant donné le chômage élevé et la croissance médiocre que connaît la France depuis trente ans, bien des agriculteurs qui voudront se reconvertir n'auront pas leur chance. C'est vrai qu'aujourd'hui l'économie française ne manque guère de bras. Mais c'est bien pour cela que les réformes sont tellement nécessaires. Cette objection, une fois de plus, illustre l'impérieuse nécessité de faire toutes les réformes en même temps. En faire une seule, la PAC par exemple, ne marchera pas, précisément parce que redynamiser l'agriculture ne suffira pas à redynamiser l'ensemble de l'économie ; sans réforme du marché du travail, les agriculteurs auront toutes les peines du monde à trouver un emploi dans une économie en panne.

L'option décrite dans ce chapitre est radicale. Son avantage est qu'elle va ainsi au bout de la logique alors que des évaluations chiffrées sont impossibles sans connaître le détail de la distribution des subventions. Des options intermédiaires sont possibles et peut-être politiquement préférables, mais la logique resterait la même. Il devrait être possible de réformer la PAC avec le soutien de la majorité des agriculteurs à condition de ne pas les léser, d'être transparent et d'exposer la logique d'une telle réforme au public.

Chapitre IX

Mieux vaut compenser que jamais

Pourquoi payer ?

Payer pour réformer peut paraître injuste. Est-il juste de payer les privilégiés au moment où l'on reconnaît que leurs rentes nuisent au bien collectif ? En d'autres temps, on pendait les privilégiés à la lanterne, pourquoi les récompenser à présent ? Justement, nous ne voulons pas de guerre civile. Il doit certes y avoir révolution, mais elle doit être pacifique. De toute façon, comme chaque Français ou presque est, d'une manière ou d'une autre, un rentier, la lanterne n'est pas une bonne idée ! Plus sérieusement, la quasi-impossibilité de réformer la France en profondeur est la conséquence de la capacité des privilégiés à bloquer les projets qui leur sont nuisibles, et ce, sans susciter de réaction hostile dans l'opinion publique, bien au contraire. On peut pester, mais c'est ainsi. De manière purement pragmatique, si l'on veut conduire des réformes sans prendre le risque de déclencher les habituelles protestations qui, la plupart du temps, vident les projets de leur substance, il faut rassurer ceux auxquels on veut retirer les rentes. C'est peut-être injuste, mais c'est ainsi.

Deux logiques s'affrontent. La première consiste à penser qu'il serait immoral de payer ceux qui ont déjà abondamment profité de rentes. La seconde consiste à reconnaître que ces rentes ont été sanctionnées soit par la loi, soit par la pratique sociale, et qu'elles sont donc devenues au fil du temps des droits acquis. Si ces droits sont remis en cause, il serait immoral de les reprendre sans compensation. Pourquoi la seconde logique devrait-elle dominer la première ? Tout simplement parce que, sans compensation, les réformes devraient être imposées par la force. En démocratie, les urnes donnent-elles le droit d'imposer des décisions douloureuses ? Vaste débat. C'est ce qu'a fait Mme Thatcher en Grande-Bretagne. Il n'est pas impossible que la méthode forte marche aussi en France. Ce n'est pas ce que nous proposons. Nous pensons que la voie pacifique doit d'abord être essayée, même si elle coûte cher, voire très cher. D'abord parce que la paix sociale a un prix. Ensuite parce que les chances de succès de la manière forte sont loin d'être assurées, et les conséquences d'un échec incalculables.

Cela dit, payer pour racheter les rentes n'est pas nécessairement injuste. Car qui va payer qui ? Dans notre méthode, le rachat des rentes est, en général, financé par des emprunts publics. Si tous les Français sans exception étaient des rentiers et si tous payaient des impôts, en gros, tout le monde paierait tout le monde pour s'offrir une France dynamique et performante. Il n'y aurait aucune injustice puisque chacun paierait ce qu'il recevrait. L'injustice apparaît parce qu'il y des gros et des petits rentiers, des gros et des petits contribuables. Les perdants sont alors les gros contribuables qui n'ont pas de rentes, ou seulement de petites rentes. Est-ce vraiment très injuste ? Mais ce n'est pas tout. Si elles sont judicieusement conçues, les réformes vont permettre à tous les Français de vivre mieux, beaucoup mieux, et elles donneront du travail à tous ceux qui le veulent. Si une partie des bénéfices est préemptée, sous forme d'impôts futurs, pour servir la dette, chacun y gagne. Certains y gagneront peut-être plus que d'autres, c'est possible, mais est-ce une raison pour refuser de payer pour réformer ? La jalousie est un vilain défaut !

Comment payer ?

Comment, en pratique, mettre en place les compensations ? Il ne va pas manquer de gens qui voudront avoir le beurre et l'argent du beurre. Ils aimeraient bien se faire dédommager de la perte de leurs rentes, puis s'arranger pour les garder. Pour cela, il leur suffirait d'empocher les paiements et de se précipiter ensuite dans la rue pour protester contre les réformes. D'autres se constitueront victimes imaginaires, prétendant être lésés par telle ou telle réforme, même s'ils ne sont pas vraiment affectés. Chaque réforme doit être traitée séparément mais quelques principes généraux sont utiles.

Pour commencer, la compensation ne peut être mise en œuvre que lorsqu'il est possible d'établir un lien clair entre la réforme et les dommages directement subis en conséquence. Il ne s'agit pas d'indemniser les gens qui se sentent affectés de loin et de manière diffuse par la réforme, mais bien de cibler uniquement ceux qui sont directement affectés. Réformer le service public concerne les fonctionnaires, et uniquement eux. Ouvrir le marché des taxis affecte les chauffeurs qui possèdent une plaque. Éliminer la PAC atteint les agriculteurs qui reçoivent des subventions, etc. Si la réforme a des effets diffus, elle ne peut pas ouvrir droit à dédommagement.

Ensuite, chaque compensation doit faire l'objet d'un contrat individuel signé par l'État et par chaque personne nommément identifiée. L'État s'engage à verser une somme, la personne s'engage à abandonner un privilège bien précis. En signant, elle vote pour la réforme. Le nouveau contrat ne s'appliquerait qu'à ceux qui l'ont signé – les autres garderaient leurs contrats antérieurs. En revanche, tous les nouveaux entrants dans le système se verraient appliquer les nouvelles règles sans rente.

Si peu de contrats sont signés, c'est que le prix offert est trop bas. Le gouvernement pourra alors faire une meilleure offre jusqu'à obtenir suffisamment de signatures, sachant qu'il peut toujours retirer son offre s'il juge que le prix demandé est trop élevé.

Combien payer ? 20 % du PIB

Si l'on additionne les factures des compensations accumulées dans les précédents chapitres, le total se monte à 20 % du PIB de 2007, soit 380 milliards d'euros d'aujourd'hui. Le tableau ci-dessous résume nos calculs.

Secteur	Coût total milliards d'euros (valeur 2007)	% du PIB
Taxis	4,5	0,2
Commerce et distribution	16	0,9
Marché du travail	70	3,8
Retraites, régime général	110	5,9
Retraites, régimes spéciaux	29	1,6
Fonction publique	75	4,1
Université et recherche	27,6	1,5
Politique agricole commune	46	2,6
Total	380	20,9[9]

Pourquoi plus de dette réduit la dette...

Vingt pourcents du PIB, c'est évidemment une somme que personne n'a jamais dépensée d'un seul

9. Dans la discussion ci-après, le coût est arrondi à 20 % du PIB.

coup, nulle part, dans aucun pays développé. Est-ce vraiment de la folie ? Sommes-nous en train de nous opposer à l'objectif de réduction de la dette publique, désormais largement partagé depuis la publication du rapport de la mission présidée par Michel Pébereau en 2005 (*Rompre avec la facilité de la dette publique*) ? Absolument pas, bien au contraire ! Malgré les apparences, nos propositions réduiraient massivement la dette publique, pour autant qu'on la définisse correctement.

Les chiffres officiels limitent la dette publique aux emprunts de l'État. Une meilleure définition inclut tout ce que l'État s'engage à payer et qui n'est pas couvert par ses revenus. Cette définition comprend la dette officielle mais aussi tout ce que les engagements actuels promettent ; les revenus comprennent tous les impôts et autres redevances prescrits par la fiscalité actuelle. Or les retraites aujourd'hui promises à tous les Français vivants et à naître dépassent les recettes présentes et futures des régimes d'assurance vieillesse. Au chapitre sur les retraites, nous avons évalué la différence – joliment appelée la dette implicite – à 80 % du PIB. Si, aujourd'hui, la dette publique officielle est de 65 % du PIB, la vraie dette publique actuelle est plus large : il faut lui ajouter la dette implicite des retraites publiques (80 % du PIB), mais il faut en retrancher la valeur des entreprises publiques privatisables (aujourd'hui particulièrement privatisée), soit 8 % du PIB. Au total, la véritable dette publique se monte à 137 % du PIB. Sans réforme, c'est bien cette charge qui pèse sur les épaules des actifs actuels et des générations suivantes.

Relever l'âge de départ à la retraite à 67 ans élimine d'un seul coup cette dette implicite. Pour rendre possible une telle réforme, nous proposons de verser une compensation d'environ 7 % du PIB. Même en additionnant toutes les compensations que nous avons calculées (20 % du PIB), nous proposons bien de réduire la vraie dette publique. Au début du livre, la dette est de 137 % du PIB, elle est de 77 % à l'arrivée (65 % du PIB de dette publique, ainsi que 20 points pour les compensations que nous proposons, moins les 8 % de PIB de privatisations possibles). C'est bien une baisse massive de la dette publique que nous proposons.

Pourquoi plus de dette créera plus de richesse...

Il est hautement plausible que ces réformes en profondeur auront un impact positif sur la croissance. C'est même leur raison d'être et c'est aussi ce que suggèrent toutes les expériences étrangères. Or une augmentation de la croissance, même faible, a des effets énormes si elle est permanente. Pour illustrer ceci, supposons que nos réformes apportent 0,5 point de croissance annuelle en plus par an. C'est une hypothèse extrêmement pessimiste par rapport aux estimations autrement plus encourageantes faites par divers organismes. Par exemple, les experts de l'OCDE estiment qu'une réforme qui réduirait de manière permanente le taux de chômage de 1 %, accroîtrait la croissance de la France de 1,4 % – nous pensons qu'avec nos réformes le chômage serait divisé par deux.

Combien la France serait-elle prête à dépenser aujourd'hui – puisque la plupart des compensations que nous proposons doivent être versées entièrement au moment où la réforme est décidée – pour accélérer sa croissance économique de 0,5 point ? La réponse est inévitablement technique. Pour les *aficionados*, elle est présentée à la fin du livre*. Pour le profane, on peut dire qu'un petit demi-point de croissance supplémentaire d'ici à 2025 vaut 60 % du PIB d'aujourd'hui. Sous des hypothèses plus optimistes, il est facile de trouver beaucoup plus – ainsi deux fois le PIB d'aujourd'hui est tout aussi plausible. Autrement dit, les 20 % de compensations – versées à des Français – rapporteraient, au bas mot, 60 % du PIB.

À cela, il faut ajouter de nombreux facteurs non économiques. Le plus important est le soulagement qu'apporterait une réduction très nette du chômage. Comment mesurer l'angoisse des jeunes face au marché du travail ? Et celle de leurs parents ? Comment prendre en compte les drames qui accompagnent souvent le chômage : maladies et dépression, éclatement des familles et ses séquelles pour les enfants ? Sans oublier la criminalité et les troubles sociaux qui sont une conséquence plus ou moins directe de l'impossibilité pour les plus défavorisés de trouver un emploi.

---

* Voir Annexe 2, p. 211.

Allons au marché, tous les jeudis, à 11 heures...

Mais où trouver 20 % du PIB pour s'offrir ces réformes ? Avant tout, rappelons-nous que le dédommagement que nous proposons pour la réforme des retraites ne commencera à être versé que très progressivement, au fur et à mesure des départs retardés à la retraite. Comme ce dédommagement représente 7 % du PIB, ce n'est que 13 % du PIB (240 milliards d'euros) qu'il s'agit de trouver dans un premier temps. Il est bien entendu impossible de couper dans les dépenses publiques ou d'augmenter les impôts dans de telles proportions en un ou deux ans. Le seul moyen de couvrir les dépenses de compensation sera de recourir à l'emprunt public.

Qui acceptera alors de fournir une telle somme ? La réponse est très simple : les marchés financiers, c'est-à-dire les investisseurs (assureurs, gestionnaires d'actifs, fonds de pension) français, européens et internationaux. Accepteront-ils ? S'ils sont convaincus de la rentabilité et du sérieux des réformes, oui – avec enthousiasme. Les marchés financiers ne doutent pas que les réformes payent ; en fait, ils se lamentent haut et fort de voir la France aussi timide. Ce n'est pas non plus la taille de la dette qui va inquiéter les marchés. En 2005, ils ont absorbé sans sourciller de nouvelles dettes pour un montant de quelque 4 500 milliards d'euros. Les 240 milliards d'euros dont la France aurait besoin, sur deux ans par exemple, passeront inaperçus, ou presque. Ils n'entraîneront ni crise ni défiance. Au contraire, on verra même plus de capitaux s'investir dans une France revigorée. Aujourd'hui, l'État, via l'Agence France Trésor, emprunte en moyenne 5 milliards d'euros sur les marchés financiers tous les premier et troisième jeudis du mois – entre 10 h 50 et 11 heures exactement. Avec notre agenda de réformes, il devra à peine doubler cette somme pendant deux ans. S'il doit y avoir du bruit et de la fureur à Bercy, ce ne sera ni à cause de nos réformes (pacifiques) ni à cause des nouveaux emprunts de l'État, mais à cause des pop stars qui viennent chanter au Palais Omnisport.

Sous l'œil des sages

Mais, avant cela, il faudra convaincre les marchés financiers, naturellement sceptiques – et c'est normal car ils y mettent leur argent. Après avoir convaincu ses citoyens de supporter les réformes, le gouvernement devra rassurer les marchés financiers du sérieux, de l'efficacité et de la crédibilité des réformes engagées.

Étant donné les montants en jeu, les marchés vont évidemment suivre de très près la conduite des réformes. Ils devront être informés du devenir et de la crédibilité des réformes. Pour briser leur suspicion naturelle devant des réformes d'une telle ampleur, il sera judicieux de mettre sur pied un comité de suivi des réformes. Constitué de personnalités françaises et internationales de grande crédibilité internationale dans les domaines économique et financier, ce comité suivrait, évaluerait et certifierait tous les aspects des réformes en cours. Ces personnalités devront être indépendantes du gouvernement pour que nul ne doute qu'elles disent la vérité.

L'enlèvement d'Europe ?

Le traité de Maastricht et le Pacte de stabilité et de croissance de la zone euro limitent à 3 % du PIB les déficits publics et prescrivent que la dette publique ne doit pas excéder 60 % du PIB. Si les sept réformes que nous proposons étaient mises en œuvre la même année, la hausse de treize points de PIB de la dette publique française ferait exploser le Pacte. Même si les réformes sont étalées sur deux ou trois ans, on dépasse complètement les bornes du Pacte. Il va falloir convaincre nos partenaires européens du bien-fondé de cette approche, ce qui ne sera pas facile.

Avec l'Allemagne, l'Italie et le Portugal, la France fait partie des pays qui se sont souvent déjà trouvés en délicatesse avec le Pacte. Autant dire que notre crédibilité en la matière est faible. Alors, treize points de PIB de déficit en plus, même sur deux ans, seraient considérés comme de la provocation pure et simple. Ce sera notre meilleur argument. Il ne s'agira pas d'un simple dérapage, conséquence d'un manque de discipline budgétaire comme auparavant, mais de la transformation historique d'un pays qui désespère depuis longtemps ses partenaires européens par son apparente impossibilité à engager les réformes que la plupart d'entre eux ont réalisées, sans payer de compensations il est vrai.

Au comptable bruxellois, nous dirons qu'avec ces réformes, la France réduirait fortement sa dette publique au sens large et qu'elle augmenterait sa richesse d'au moins soixante points de PIB[10]. Pourquoi voudrait-on punir la France pour cela ? Quel mal y aurait-il à faire, en un coup, les réformes que tout le monde attend de nous depuis si longtemps (retraites, marché du travail, État...) ? Et si la Commission européenne ou la Banque centrale européenne insistent tant aujourd'hui pour réduire la dette publique, c'est parce qu'elles craignent, à raison, l'impact du vieillissement de la population sur les régimes de retraite. Mais cet argument tombe si une réforme réduit à néant les déficits prévisibles des retraites.

Au Fonds de la Belgique argentée

Au besoin, il est même possible de vaincre le scepticisme des marchés financiers et les réticences de nos partenaires européens en modifiant un peu le mécanisme

10. Nos partenaires de la zone euro y sont déjà un peu préparés, d'ailleurs. En effet, le Pacte de stabilité et de croissance a été revu et corrigé en 2005, après avoir été suspendu quand la France et l'Allemagne ont refusé d'être pénalisées pour cause de violation de leurs engagements. Un aspect particulier de cette modification est qu'au moment de décider si un déficit est excessif, « le Conseil devrait prendre en compte les réformes structurelles majeures mises en œuvre, qui entraînent directement des économies de coûts à long terme, y compris par le renforcement du potentiel de croissance » (COM(2005) 154 final). Autrement dit, les réformes que nous proposons font précisément partie des exceptions prévues à la règle des 3 %. Évidemment, dans l'esprit des rédacteurs de ce texte, il s'agissait de tolérer des dépassements relativement mineurs, pas les 13 % de PIB que nous proposons. Mais c'est une bonne base de départ pour une discussion franche et constructive.

de compensation. Pour cela, on pourrait décider de ne payer, au moment des réformes, que la moitié de la compensation en cash et de ne verser l'autre moitié – qui serait indexée sur l'inflation et même sur le taux de croissance pour ne léser personne – que lorsque la dette publique officielle sera revenue en dessous de 60 % du PIB, le critère de Maastricht. En pratique, cette seconde moitié serait déposée sur un compte ouvert auprès du Trésor public au nom de chaque bénéficiaire. Ce dernier se constituerait ainsi un fonds qui serait vidé le jour où la dette publique serait suffisamment redescendue.

Une autre de nos lubies, ce Fonds 60 % ? Pas du tout, un mécanisme analogue existe déjà en Belgique, c'est le Fonds argenté[11]. Pourquoi ce fonds devrait-il rassurer nos partenaires et débiteurs ? Parce que des millions de Français auront alors un intérêt massif à la baisse des dettes. Pour toucher au plus vite la seconde moitié de son dédommagement, chacun militera auprès de ses élus afin de réduire puis d'éliminer le déficit budgétaire. Chaque fois qu'un gouvernement sera tenté de faire des petits cadeaux ici ou là aux frais des générations futures, il verra des millions de Français très fâchés. Ce seront

11. Ce Fonds argenté (à cause de la couleur des cheveux des seniors) est placé au sein du Trésor belge et il est financé par les recettes de privatisations et, le cas échéant, par les excédents budgétaires. Il doit servir à renflouer le système public des retraites par répartition. Ce fonds est analogue à notre Fonds de réserve des retraites, mais le gouvernement belge, en 1999, a mis une condition spécifique à son utilisation : le Fonds argenté ne pourra être déboursé pour financer les retraites que lorsque la dette publique belge sera passée en dessous de 60 % du PIB.

désormais les électeurs qui veilleront à la bonne gestion des deniers publics. Dépenser plus pour plaire aux électeurs aura vécu.

Évidemment, ce n'est pas une idée miraculeuse. Les compensations sont destinées à obtenir l'assentiment des victimes des réformes. Payer comptant est un argument très fort et parfaitement crédible. Payer à moitié au comptant et promettre le reste « le jour où » est moins convaincant et moins crédible.

Les *All Blacks* avancent en pack

Une tentation serait de répartir les réformes, et donc les compensations, dans le temps. C'est irréaliste et dangereux. Irréaliste, car même si les réformes étaient réparties sur dix ans, le déficit augmenterait en moyenne de quelque 2 % par an. C'est, de toute façon, encore beaucoup trop pour le Pacte de stabilité. Mais c'est surtout un danger mortel pour les réformes. Car s'il y a une leçon indiscutable à tirer des expériences de réformes conduites de par le monde, c'est qu'il faut tout faire en même temps, et vite. La Nouvelle-Zélande est l'un des pays qui a le plus profondément régénéré son économie. Le père de ces réformes, Roger Douglas, le ministre des Finances du gouvernement travailliste qui a piloté le programme de réformes majeures en 1984, tire ainsi les leçons de son expérience : « Il n'y a pas une réforme magique qui puisse, à elle seule, remettre une économie en selle. Pour y arriver, il faut mettre en œuvre un vaste ensemble de mesures complexes. Il ne faut pas essayer d'avancer pas à pas. [...] Une économie fonctionne comme un tout organique, et non pas comme un tas de petites pièces disparates. Les réformes structurelles ont pour objectif d'améliorer la qualité des interactions entre les diverses composantes d'un tout. [...] La rapidité est essentielle ; une fois qu'un programme est mis au point, il est impossible d'aller trop vite. Les intérêts particuliers qui cherchent à préserver leurs privilèges demandent toujours d'aller moins vite. Ça leur donne le temps de mobiliser l'opinion publique contre les réformes. [...] Un principe communément admis est que les réformateurs jouent avec des cartes truquées contre eux. Les réformes en profondeur sont présentées comme un suicide politique. C'est bien le cas lorsque les privilèges sont éliminés un à un. Paradoxalement, ce principe disparaît lorsque beaucoup de privilèges sont éliminés d'un coup. » (Source : http ://www.rogerdouglas.org.nz, traduction des auteurs.)

Épître aux sceptiques

Alors, au bout de ce livre, avons-nous réussi à convaincre qu'une idée un peu folle est, en fait, raisonnable ?

Nous redoutons de ne pas avoir persuadé ceux qui sont convaincus depuis longtemps de la nécessité des réformes. Ils nous trouveront naïfs : « Vous allez dépenser une somme folle ; et ensuite les privilèges reviendront au galop. » Nous avons abordé cette question dans la plupart des chapitres, parce qu'elle est effectivement redoutable. Nous avons proposé des garde-fous (par exemple en ne donnant la compensation qu'après acceptation et vote de la réforme), mais aucun n'est imparable, il est vrai. De manière fondamentale, personne ne peut empêcher un futur gouvernement, démocratiquement élu, de laisser se reconstruire les privilèges. Nous avons deux réponses cependant. La première s'appuie sur le réalisme : comment faire autrement ? Les échecs répétés de tous les gouvernements depuis vingt-cinq ans montrent bien qu'il faut changer de méthode. Celle des petites réformes a piteusement échoué. La manière forte a marché quelquefois. C'est probablement la seule alternative à notre méthode. Nous espérons l'éviter. La seconde réponse est ancrée dans l'espoir qu'une fois les réformes réalisées, les Français en découvriront les bienfaits et ne voudront pas revenir en arrière. Cet espoir n'est pas aussi naïf qu'il paraît. Ces dernières années, bien des pays ont réussi des réformes audacieuses. Nulle part on ne décèle de pression pour revenir en arrière. Et si les partisans des réformes restent sceptiques, au moins auront-ils été surpris du coût modéré des compensations que nous proposons. Notre idée, alors, fera son chemin pour réapparaître sous une forme améliorée.

Nous n'espérons pas avoir convaincu les lobbies. Tout au plus y verront-ils un danger pour leur survie. Certains d'entre eux auront raison, c'est une lutte à mort qu'ils mènent contre les réformes, depuis longtemps et avec un admirable succès. D'autres, par contre, auraient tort de prendre les choses ainsi. Nous pensons en particulier aux syndicats. Ils ont un rôle majeur à jouer dans une économie réformée. La plupart d'entre eux se sont arc-boutés dans la défense de privilèges – les fameux droits acquis – qui minent la société en créant du chômage et qui bloquent la croissance et donc l'augmentation du pouvoir d'achat de leurs adhérents. La sanction de cette stratégie est manifeste, le nombre d'employés syndiqués a fondu comme neige au soleil. Dans une économie réformée en profondeur, les syndicats pourront retrouver leur vraie mission, la défense des intérêts des salariés. Comme presque partout ailleurs en Europe, ils prendront leur part de responsabilité et retrouveront leurs adhérents. Certains ont déjà adopté cette voie réformiste mais, dans une économie non réformée et structurée autour de privilèges paralysants, leur position est bien inconfortable. Dans le système français, une partie du financement des syndicats provient de la gestion de certaines rentes que nous proposons de supprimer. Loin de vouloir appauvrir les syndicats, nous souhaitons qu'ils aient un financement public et transparent (voté par le Parlement), mais non lié à la gestion de rentes.

Nous n'espérons pas non plus avoir convaincu les idéologues de tous bords. L'idéologie, c'est la négation de la réflexion scientifique. C'est la certitude d'avoir raison envers et contre tous, et surtout contre les faits. Une des caractéristiques uniques de la France, c'est l'influence que continuent à y exercer les idéologies. Une enquête conduite dans vingt pays par l'université du Maryland a posé la question suivante : « Le système de la libre entreprise et de l'économie de marché est le meilleur pour l'avenir du monde, êtes-vous d'accord ? » La moyenne des réponses positives est de 61 %. C'est en France que ce pourcentage est le plus bas, avec 36 %

de oui. Le taux d'approbation le plus élevé, 74 %, est... en Chine. Fruit de notre histoire, le rôle des idéologies est dévastateur.

Nous ne convaincrons pas plus, hélas ! les jacobins, qui partagent avec les idéologues la conviction que l'État fait mieux tourner l'économie que le marché. Étrange héritage de la monarchie colbertiste ! Leur argument est que les marchés ne fonctionnent pas parfaitement et que l'État a le devoir de s'y substituer. Que bien des marchés souffrent de distorsions ne fait aucun doute. Qu'il faille les réglementer n'est pas controversé, d'ailleurs, c'est bien ainsi que fonctionnent toutes les économies modernes, absolument toutes. Le laisser-faire est un mythe qui sert de croquemitaine. La véritable question est tout autre : les réglementations sont-elles toutes justifiées et, surtout, sont-elles toutes bien conçues ? Une étude récente de la Banque mondiale rapporte que, pour ouvrir un local à usage commercial, il faut compter 183 jours en France, contre 41 en Allemagne et 2 aux Pays-Bas. Les consommateurs français doivent être vraiment très bien protégés...

La confiance en l'État et la défiance vis-à-vis des marchés supposent que l'État fonctionne mieux que les marchés. C'est peu probable, les Français le savent bien. Il suffit d'observer la défiance des citoyens vis-à-vis des politiques. Si la France paraît irréformable, ce n'est pas seulement parce que les Français sont hostiles aux réformes, c'est aussi, et peut-être surtout, parce qu'il faudrait que l'État organise sa propre perte d'influence. Les réformes en profondeur n'enthousiasment guère la haute fonction publique qui tient en main les ministères et les ministres. Les Français tiennent à leurs privilèges, les serviteurs de l'État aussi.

Notre espoir est que, pris individuellement, une majorité de Français, même s'ils sont dubitatifs sur les bienfaits de la liberté d'entreprendre, sauront reconnaître chacun où se trouve leur intérêt individuel et accepteront de vendre à bon prix leurs privilèges. Les résultats, qui prendront des années à se développer, devraient alors les convaincre qu'ils ont eu raison.

Annexes

1

Transition delicate vers le plein-emploi

Même en cas de réformes économiques globales rapides dès le départ, la création de nouveaux emplois ne peut qu'être progressive. Nous partons de l'hypothèse qu'il faudra dix ans pour arriver au plein-emploi (ce qui est réaliste au regard des expériences étrangères réussies). Or, en attribuant un Crédit Assurance Chômage à 4 millions de personnes, qu'elles soient inscrites au chômage ou en fin de droits, on exige de chacun d'eux de rechercher activement un emploi. D'un côté, c'est bien. D'un autre côté, il faut bien reconnaître que les emplois supplémentaires attendus de la réforme ne se matérialiseront que progressivement sur dix ans. Entre-temps, une bonne partie des Crédit Assurance Chômage seront vidés, parce que les agences de l'emploi n'auront rien pu offrir. Cela pose de sérieux problèmes.

Les chômeurs trouveront injuste d'être pénalisés en perdant chaque mois un point du fait que les agences de placement n'ont rien à leur offrir. Le problème doit cependant être examiné plus en détail. Les 4 millions de personnes concernées ne sont pas toutes dans la même situation. Une partie d'entre elles, environ la moitié de ceux qui sont aujourd'hui inscrits au chômage, retrouvent rapidement un emploi. Ils ne consommeront donc pas un grand nombre de points et bénéficieront d'une meilleure assurance. L'autre moitié des inscrits sont des chômeurs de longue durée, qui arrivent progressivement en fin de droits et rejoignent alors les autres catégories de demandeurs d'emploi, dont beaucoup reçoivent le RMI ou l'allocation de solidarité spécifique (ASS). Une partie d'entre eux trouveront un jour un emploi, lorsque le chômage aura reculé, mais ils auront probablement alors épuisé leur capital de points et seront donc retombés au RMI. Leur problème est que, lorsqu'ils travailleront, ils auront effectivement perdu droit à l'assurance chômage. Ils pourront certes reconstituer un peu de leur capital en faisant des heures supplémentaires, mais ils seront les grands perdants de la réforme. Il faudrait faire mieux. Il reste une dernière catégorie de personnes qui, pour de multiples raisons, sont inaptes à l'emploi ou qui ne souhaitent pas travailler. Certains reçoivent le RMI. Avec le Crédit Assurance Chômage, leurs points leur permettraient de bénéficier pendant un temps d'une allocation à 90 % du Smic, puis ils retrouveraient le RMI. Cela n'a aucun sens de transformer temporairement des RMistes en allocataires de chômage, même si c'est agréable pour les personnes en question.

Une solution raisonnable est d'augmenter sensiblement le nombre de points inclus dans le Crédit Assurance Chômage des personnes susceptibles d'être piégées. Ces personnes sont identifiables puisqu'il s'agit des chômeurs inscrits. Commençons par imaginer la situation en l'an 10 de la réforme. Avec 4 millions d'emplois supplémentaires, la France connaît alors le plein-emploi et les agences de placement peuvent rapidement offrir des possibilités d'emploi. On est dans le régime permanent et aucune mesure supplémentaire n'est nécessaire. Prenons maintenant le cas de l'an 9. Les effets attendus se sont presque entièrement matérialisés, environ 90 % des 4 millions d'emplois supplémentaires existent désormais. Dans ces conditions, il est un peu plus difficile, et donc un peu plus long, de trouver un emploi. Pour compenser cette difficulté, il serait normal d'ajouter douze mois supplémentaires au Crédit Assurance Chômage d'une personne devenue chômeuse au début de l'année, onze mois si elle perd son emploi au deuxième mois de l'année, etc. En raisonnant ainsi et en remontant le temps, on arrive au premier mois de la première année après la réforme. Tous ceux qui sont alors inscrits au chômage devraient alors recevoir cent vingt mois supplémentaires. Ce serait des points fongibles, le capital baissant d'un point chaque mois pour arriver graduellement à douze points au début de l'an 9 et zéro au début de l'an 10. Ce mécanisme transitoire serait valable pour tous les gens qui tomberaient au chômage dans les dix premières années après la réforme, et le nombre de points supplémentaires serait donc déterminé par la date d'inscription au chômage. Par exemple, si le chômage advenait quatre ans avant la fin de la période transitoire, la personne toucherait quarante-huit mois supplémentaires de Crédit Assurance Chômage. Ces points supplémentaires disparaîtraient lors de la reprise d'un emploi, ou si le chômeur refuse ce qu'on lui propose, comme expliqué plus haut ; ils joueraient donc bien le rôle d'amortisseur du choc initial de la réforme et ils assureraient sans heurt et avec les bonnes incitations le dégonflement du sous-emploi actuel.

Cette solution a deux avantages. Premièrement, elle est juste et devrait rassurer ceux qui sont au chômage au moment où l'on abandonne l'ancien système pour créer le Crédit

Assurance Chômage. Par rapport au *statu quo*, qui limite les allocations de chômage à vingt-trois mois, les chômeurs inscrits deviennent maintenant gagnants puisqu'ils obtiennent une garantie beaucoup plus longue et un taux de remboursement de 90 %, au lieu de 73 %. (Pour faire des économies, on pourrait maintenir le taux à 73 % sur les points supplémentaires, qui seraient utilisables en premier.) Deuxièmement, le coût supplémentaire pour l'État est faible par rapport au *statu quo*. En effet, au fur et à mesure où des emplois nouveaux seront créés par la réforme, les agences de placement seront à même de faire de plus en plus d'offres et donc de purger les points supplémentaires. Nos estimations prennent cette mesure en compte.

Il reste le cas des demandeurs d'emploi non inscrits au chômage ou même pas considérés aujourd'hui comme demandeurs d'emploi, ceux que l'on appelle les chômeurs découragés. Ils ne recevraient pas de points supplémentaires, pour deux raisons. D'abord parce que leur situation ne serait pas changée du fait de la réforme. Ensuite parce qu'il s'agit d'éviter un passage inefficace par les allocations de chômage avant de retomber dans le RMI. Mais, au fur et à mesure où le plein-emploi reviendra, une partie d'entre eux trouveront enfin du travail.

L'inconvénient de cette solution est qu'elle risque d'encourager certains à quitter leur emploi au moment de la mise en place de la réforme pour recevoir les cent vingt points supplémentaires et s'offrir dix ans de congés payés à 90 %. Ce risque est bien réel, il est cependant limité parce que peu de gens quittent volontairement un emploi pour bénéficier des allocations de chômage. De plus, le risque peut être contenu dès lors que les agences de placement vérifient que ces chômeurs présumés volontaires sont effectivement à la recherche d'un emploi et mettent un terme aux allocations après trois refus de propositions de placement.

2

Quelle est la valeur d'une croissance plus rapide ?

Imaginons que d'un coup de baguette magique, ou plutôt à la suite d'un programme de réformes, la croissance de la France, qui a avoisiné 1,5 % par an ces derniers temps, passe à 2 % dès 2008. Comment évaluer ce que vaut aujourd'hui, en 2007, ce cadeau du ciel ou des réformes ?

Pour répondre, il faut d'abord se demander à quel horizon regarder. Les réformes augmentent la croissance de façon permanente. Mais il faut tout de même envisager que, d'une manière ou d'une autre, les réformes pourraient avoir lieu un jour ou l'autre, sans compensation. Qui sait, les Français pourraient se lasser d'être à la traîne et élire un jour une Mme Thatcher qui imposerait ses réformes sans se soucier de compenser les rentiers spoliés. Plus tôt ce serait le cas, moins cela aurait de sens de payer pour réformer aujourd'hui.

Nous faisons l'hypothèse que, sans réformes avec compensation, une Mme Thatcher habitera à l'Élysée en 2025. Autrement dit, on part de l'idée que les réformes avec compensation augmentent la croissance seulement de 2007 à 2025 ; au-delà, ce serait fait autrement.

Avec un taux de croissance qui passerait de 1,5 à 2 % dès 2008, le PIB serait plus élevé de 9 % en 2025 qu'en l'absence de réformes. Mais 2025, c'est loin, et ces 9 % de plus dans dix ans ne valent pas 9 % du PIB aujourd'hui. En retenant le taux d'actualisation de 5 % par an, adopté par Bercy pour ses propres décisions de dépenses publiques, on trouve que 9 % de plus dans dix ans valent en fait 5 % du PIB d'aujourd'hui. En ajoutant tous ces gains annuels, on trouve que 0,5 % de croissance en plus de 2008 à 2025 vaut 58 % du PIB de 2007, soit plus de 1 000 milliards d'euros.

Ces résultats dépendent des hypothèses qui ont été mentionnées, et qui n'ont aucune raison d'être vérifiées. Il est donc prudent d'examiner quelques alternatives. Par exemple, si des réformes sans compensation ne devaient arriver qu'en 2050, la valeur des réformes avec compensation augmente considérablement puisqu'elles font une différence pendant vingt-cinq années de plus. Elles rapporteraient alors près de 200 % du PIB d'aujourd'hui.

Table

Photocomposition PCA
44400 Rezé

Lightning Source UK Ltd.
Milton Keynes UK
UKHW021622040821
4330UKFR00011B/506